GW00866393

La demoiselle des Lumières

Fille de Voltaire

Annie Jay

Annie Jay est une lectrice insatiable, passionnée d'histoire. Elle rencontre un grand succès avec ses romans historiques, dans lesquels elle exprime pleinement son talent d'auteur de jeunesse.

Du même auteur :

- Complot à Versailles - Tome I
- La dame aux élixirs - Tome 2
- L'aiguille empoisonnée - Tome 3
- L'esclave de Pompéi
- À la poursuite d'Olympe
- Fantôme en héritage
- Au nom du roi - Tome I
- La vengeance de Marie - Tome 2
- L'inconnu de la Bastille
- Le trône de Cléopâtre
- La fiancée de Pompéi
- Le comédien de Molière

ANNIE JAY

La demoiselle des Lumières

Fille de Voltaire

Savez-vous que cette enfant a nourri longtemps ses parents du travail de ses petites mains ? La voilà récompensée. Sa vie est un roman...

VOLTAIRE, 24 janvier 1763.

Avertissement

Marie Corneille, arrière-petite-nièce du poète Pierre Corneille, a réellement existé. Née dans la pauvreté, elle devint la fille adoptive de l'écrivain le plus connu de son temps, François-Marie Arouet, dit Voltaire. Le vieux philosophe l'aima comme son enfant.

Marie vit et entendit bien des choses dans la maison du grand homme ! À commencer par le déroulement de l'affaire Calas, cette erreur judiciaire qui bouleversa la France, et qui incita Voltaire à faire le procès de l'Intolérance.

Naturellement, ces Mémoires n'ont pas été écrits par Marie Corneille. Je me suis efforcée, avec les éléments historiques que j'ai rassemblés, de la faire revivre telle que je me l'imagine au côté du grand Voltaire.

L'auteur présente tous ses remerciements à l'Institut Voltaire de Genève, et plus particulièrement à Mme Catherine Walser, pour son aide très précieuse.

Et toute sa reconnaissance à M. Jean-Claude Thouroude, pour avoir mis à sa disposition son inestimable travail généalogique sur les familles Corneille et Dupuits.

1

Ferney, 1763

Si un jour un de ces bonimenteurs de foire qui traîne sur le marché d'Évreux m'avait dit : « Petite, tu vas gagner à la loterie, tu vivras dans un château et tu épouseras un prince charmant », je lui aurais ri au nez ! Il n'y a que les gens crédules pour croire à de telles bêtises !

Et pourtant...

Au début, rien ne me prédisposait à devenir une demoiselle. Je savais à peine mon alphabet et je parlais mal. J'étais destinée à être vannière ou, au mieux, à épouser un homme de ma condition, c'est-à-dire désargenté, qui me prendrait sans dot et me ferait une ribambelle de marmots.

Sans doute, comme dans les contes, y avait-il quelque part une espèce de fée veillant sur les gens de lettres qui me remarqua. Je l'imagine très bien sur son nuage, se pencher au-dessus des chemins boueux de ma Normandie natale, se gratter la tête du bout de sa baguette, et s'étonner :

— Qu'est-ce donc que cette petite chose aux cheveux et aux yeux noirs ? Une Corneille ?

En fait, tout commença un jour de marché. Mon père, Jean-François Corneille, était un modeste tourneur de bois. Modeste, oui, mais aussi roublard, et infiniment déterminé à se défaire de cette pauvreté qui colle aux petites gens, comme la boue colle aux sabots et vous empêche d'avancer.

Son métier consistait à tourner[1] des pieds de chaises, de tables, de commodes… Bref, de tous les meubles que vous voulez possédant des pieds. Et, quand il ne tournait pas, il fabriquait des moulures de bois, payées une misère par son menuisier de patron.

Comme la paye de Papa ne nous permettait de vivre que jusqu'au quinze du mois, il vendait également des paniers d'osier, que Maman et moi tressions dans notre masure.

Maman… Ma mère, elle, était une de ces femmes pieuses et effacées qui craignaient tout autant son mari que le curé. De santé fragile, elle parlait peu et

_____

1. Le tourneur façonne des morceaux de bois sur une machine appelée « tour ». Au XVIIIᵉ siècle, les bourgeois et les nobles appréciaient les meubles aux pieds sculptés, ainsi que les moulures de bois pour décorer leurs intérieurs.

priait beaucoup. Sa vie se passait à attendre, pleine d'espoir, le moment où Dieu la rappellerait à lui, ce qui mettrait enfin un terme à ses misères terrestres. Résignée, soumise, elle obéissait en tout à mon père et tressait son osier comme une religieuse égrenait son chapelet, en récitant des *Pater* et des *Ave*.

Un jour que nous vendions nos paniers au marché, mon père tendit une corbeille à un monsieur bien mis.

— Foi de Corneille, lui dit-il, vous en serez content !

L'homme, tout en payant, s'étonna :

— Vous vous appelez Corneille, mon brave ?

Papa n'avait rien de brave, mais c'est ainsi que les messieurs de la ville s'adressent aux gens du peuple sans le sou, avec condescendance.

— Jean-François Corneille, pour vous servir !

— Vraiment ? Vous possédez un nom célèbre.

— Pour sûr que j'suis célèbre ! J'suis le meilleur vannier, et le meilleur tourneur de bois de tout Évreux !

Le client se mit à rire :

— Je n'en doute pas, mon brave. Mais je pensais à un autre Corneille, le grand Pierre Corneille, l'immense poète qui vécut au siècle dernier. Il est mort à Paris, mais il était originaire de Rouen, je crois. Êtes-vous son descendant ?

Je n'avais jamais entendu parler de ce poète. Mon père non plus, sans doute, mais je le vis ébaucher un sourire :

— Nous aussi, on vient de Rouen. Pierre ? fit-il en se redressant. C'était sûrement mon arrière-grand-

15

père. Mon grand-père, lui aussi, il s'appelait Pierre. Il a vécu longtemps à Paris. C'était pas n'importe qui ! Y paraît qu'y possédait un titre d'écuyer[2] et une jolie fortune.

— Mais alors, que s'est-il passé ? s'étonna le monsieur en montrant les paniers.

— Il a perdu tout son bien au jeu, c't imbécile. Depuis on s'trouve dans la misère.

Le client prit l'air consterné de circonstance, puis il partit.

En rentrant à la maison, Papa ne parlait plus que de cette rencontre.

— J'lui ai menti qu'à moitié, avoua-t-il. Mon grand-père était bel et bien écuyer, et il s'est bel et bien ruiné dans les tripots de Paris. Seulement mon arrière-grand-père, il était pas poète, ou alors peut-être quand il avait trop bu !

— Mais, demanda Maman en haussant ses épaules osseuses, quel intérêt de le faire croire à ces gens ?

— Quand j'étais p'tiot, mon père me parlait d'un vieux cousin qui écrivait des pièces de théâtre à Paris. Seulement, j'ignorais qu'il était connu. Un poète célèbre, va savoir… Y a peut-être un p'tit héritage qui traîne pour nous.

Je voyais déjà les louis d'or briller au fond de ses yeux ! Ce fut pire encore au marché suivant, lorsque le monsieur bien mis revint avec une dame au teint délicat protégée par une ombrelle de dentelle.

---

2. Titre de noblesse le plus bas.

— Ma chère, fit-il en nous montrant comme des bêtes curieuses, voici les descendants du grand Corneille.

La dame était sensible, elle déclara avec de réels sanglots dans la voix :

— Juste ciel ! Voici donc la dernière enfant du nom de notre cher grand homme ?

Mon filou de père attrapa la balle au bond :

— Hélas, madame. Oui, c'est ma fille. Marie-Françoise qu'elle s'appelle. Marie ! m'ordonna-t-il, dis bonjour à la dame !

Je m'exécutai d'un air malgracieux. Puis Papa se retourna vers les clients pour poursuivre sa complainte :

— Quant à ma malheureuse femme, elle est souffrante et pourtant elle travaille tout le jour de ses pauvres mains.

La dame m'observa. Je me rendis alors compte que je n'étais pas bien belle à voir ! Imaginez une gamine de douze ans aux vêtements élimés, petite et maigre. De plus, j'avais ce jour-là mes cheveux noirs tout emmêlés qui dépassaient de mon bonnet en toile, et les joues pas très propres. Assise par terre sur une natte, je rentrai la tête dans les épaules et continuai à tresser une corbeille, le visage rouge de honte.

Le discours geignard de mon père produisit pourtant son effet. La dame, une main sur le cœur, se tourna vers son ami.

— Il faut faire quelque chose, dit-elle d'une voix indignée. Comment peut-on laisser les descendants de Pierre Corneille dans le besoin ! Dès mon retour à Paris, je contacterai l'Académie française pour leur obtenir une pension.

— Pour cela, rencontrons Fontenelle, rétorqua l'homme.

— Fontenelle ? s'interposa mon père d'un air intéressé. C'est qui Fontenelle ?

— Le neveu de Pierre Corneille, expliqua le monsieur, et donc votre cousin. Un grand écrivain, lui aussi, fort savant et très apprécié.

— Allons, le reprit la dame. Fontenelle a plus de quatre-vingt-dix ans, et on le dit mourant ! Non, voyons plutôt dans les salons, ou mieux, à Versailles. Il n'y manque pas de beaux esprits pourvus de nobles cœurs.

— Ou auprès de quelques poètes…

— Ou des critiques littéraires influents.

Mais, après maintes promesses, le couple repartit comme il était venu. Mon père baissa le nez, sentant la fortune s'éloigner à grands pas.

Ce jour-là, nous ne vendîmes pas grand-chose. La cloche sonna la fin du marché et Papa, bougon, m'abandonna avec notre marchandise.

— Rentre à la maison !

L'ordre claqua d'une voix sèche. Je connaissais bien ce ton, il voulait sans doute soigner sa mauvaise humeur à la taverne du coin. Tandis qu'il partait, tête basse, en fouillant le fond de sa poche à la recherche de monnaie, je regardais le tas de vannerie. Comment allais-je regagner seule notre logis avec une douzaine de grands paniers à anse, autant de corbeilles et une natte roulée longue d'une aune ?

Sur le chemin du retour, encombrée, j'essuyai les moqueries des enfants du quartier et les ricanements de certains de nos voisins. Lorsque j'arrivai enfin chez nous, j'avais envie de mordre !

Le soir, nous attendîmes longtemps mon père. Ma mère, fatiguée, s'était déjà couchée lorsqu'il rentra enfin, plus qu'éméché et de très bonne humeur. La nouvelle qu'il annonça me fit bondir le cœur :

— J'suis allé chez le patron, j'ai donné mon congé. On part à Paris.

Ma mère manqua avoir un malaise ! Cela n'empêcha pas mon père de continuer :

— J'en ai plus qu'assez de manger de la misère ! Tout le monde croit qu'on est les derniers descendants du fameux Pierre Corneille… C'est pas vrai, mais qui le saura[3] ? À Paris, on a un riche cousin…

Il tangua un peu, se raccrocha à la table, et expliqua de nouveau, rigolard :

— Ce riche cousin, Fontenelle… Y peut pas laisser sa famille dans le besoin, hein ? On arrivera bien à lui grappiller trois sous… Et ceux de l'Académie française, ils me fileront bien une pension ! Hein ?

---

3. Le poète Pierre Corneille, l'écrivain Fontenelle et le père de Marie possédaient un ancêtre commun, Pierre Corneille (?-1587), conseiller à la chancellerie de Rouen, qui eut huit enfants. Les deux écrivains descendent de son fils Pierre (1572-1639) ; Jean-François, lui, descend de son fils François (1585- ?). Le prénom Pierre était très fréquent dans cette famille.

Sur ces mots, il tomba tout habillé sur le lit à côté de ma mère. Quelques instants plus tard, il ronflait du sommeil du juste.

Et cette histoire de loterie, me direz-vous, que vient-elle faire là ? J'y arrive...

2

Paris m'apparut incroyablement grand. À vrai dire, la capitale ne me plut qu'à moitié, avec ces vieilles bâtisses insalubres, ses ruelles étroites encombrées d'ordures et une puanteur qui dépassait de loin tout ce que j'avais connu à Évreux.

Avant de quitter la Normandie, Papa s'était renseigné à Rouen sur notre cousinage. Le sang du grand poète ne coulait pas dans nos veines, mais mon arrière-grand-père était son cousin.

Cette nouvelle n'empêcha pas mon roublard de père d'aller se faire établir un certificat par un curé, comme quoi, au vu des registres de baptême, il était « le petit-fils de Pierre Corneille », sans préciser lequel[1]. Cela nous permettrait, me dit-il, de ne pas mentir tout à fait.

---

1. Le poète Pierre Corneille fut baptisé à Rouen, en l'église Saint-

À peine arrivé à Paris, Papa trouva un nouvel emploi de tourneur, avec un salaire de vingt-cinq livres par mois, ce qui rassura un peu ma mère sur notre avenir.

Nous avions aussi loué une pièce sous les toits. Elle grouillait de vermine, mais offrait l'avantage de ne pas coûter cher et de se situer à deux pas du travail de mon père.

— Si vous grimpez sur une chaise, nous dit notre loueur d'un ton aimable, vous pourrez voir par la lucarne les tours de la Bastille, la célèbre prison…

Je me saisis aussitôt d'un siège, curieuse de contempler cet endroit connu de tout le royaume, ce symbole de la royauté. Mais il était à moitié défoncé et le propriétaire me l'arracha des mains avec un air bien moins aimable que son ton. Puis il poursuivit son couplet pour mes parents :

— C'est d'un grand agrément. Les autres locataires de ma maison bourgeoise ne bénéficient pas d'un tel luxe !

Je me détournai pour rire. Ça, une « maison bourgeoise » ? Drôle de nom pour un taudis surpeuplé ! Mais mon père, ravi, lui paya un mois d'avance.

Sans attendre, nous nous étions mis en quête d'un fournisseur d'osier afin de reprendre notre vannage. Un coin de la pièce nous servait d'atelier, ce qui n'était

Sauveur, le 9 juin 1606, tout comme Pierre Corneille, le grand-père de Jean-François Corneille, né, lui, le 26 avril 1627.

guère pratique : avant d'être tressé, l'osier doit tremper dans l'eau, pour s'assouplir. Nous vivions donc au milieu des baquets.

L'eau, gratuite à Évreux, nous coûtait à Paris les yeux de la tête. Au début, j'attendais des heures durant pour tirer deux malheureux seaux à la fontaine publique... Mais, pendant que je faisais la queue, mon travail, lui, ne se faisait pas.

Mon père décida alors que nous l'achèterions aux porteurs d'eau, comme les riches. Laissez-moi vous dire que cela cancanait joyeusement dans notre escalier ! Les voisins s'esclaffaient :

— Comment des bouseux comme eux peuvent-ils s'offrir un tel luxe ?

— Des traîne-misère ! Ils n'ont rien dans leur assiette, mais veulent péter plus haut que leurs derrières ! ricanaient-ils.

Et, effectivement, mon travail couvrait à peine notre dépense d'eau. J'entendais régulièrement ma mère gémir :

— Misère ! Ton père est fou ! Dans quelle histoire nous a-t-il encore entraînées. Seigneur Dieu, priez pour nous. *Ave Maria, gratia plena, Dominus tecum...*

Tout son temps libre, Papa le passait à courir les antichambres. Vêtu de sa plus belle veste en velours et d'un tricorne[2] noir, il allait faire le siège des aca-

---

2. Chapeau de feutre à trois cornes.

démiciens et de notre lointain cousin, le fameux savant et écrivain Fontenelle. Sans aucun succès.

Après trois ans de palabres, l'Académie française lui refusa sa pension. Mais Papa restait plein d'espoir : il décida de tout miser sur Fontenelle.

L'homme était très âgé, très riche, célibataire, et sans le moindre enfant. Cela semblait prometteur. Mon père ne cessait de nous dire que le temps des vaches maigres allait bientôt prendre fin et que nous ne tarderions pas à recevoir un bel héritage.

— Demain, tu viendras avec moi, m'ordonna-t-il un soir que nous mangions une soupe ressemblant à de l'eau chaude. Un enfant, ça peut être fort utile pour apitoyer les vieillards.

— Mais, Papa…

— Pas de mais ! Par chance, t'es plutôt petite pour ton âge et t'as pas encore de gorge. J'veux que tu prennes l'air souffreteux, malingre. Pleurniche que t'es malheureuse, sanglote. Et je t'interdis de dire que nous ne sommes pas les rejetons du poète Pierre Corneille !

Cela dura six mois de plus. Je détestais ces visites humiliantes. Fontenelle vivait dans une magnifique maison où il menait grand train avec carrosse et domestiques. Je ne pouvais m'empêcher de remarquer l'air dégoûté du majordome chaque fois qu'il nous apercevait sur le pas du perron :

— Encore vous !

Cette obstination finit pourtant par payer. Notre « cousin », sans doute lassé d'avoir deux hurluberlus

24

dans son antichambre, accepta un jour de nous recevoir.

Nous vîmes un somptueux lit à baldaquin avec, couché dedans, un vieillard maigre aux orbites creuses. Il tenait sa tête chauve appuyée contre ses oreillers bordés de dentelle.

— Eh ! Bonjour, mon cousin ! attaqua mon père avec bonne humeur. Comment ça va-t-il ?

Mais, bien qu'il soit habile avec les mots, Papa eut beau tenter d'amadouer le moribond, il n'y parvint pas. D'ailleurs, Fontenelle n'allait pas si mal que cela, car il nous asséna d'une voix chevrotante, en ouvrant ses petits yeux vitreux :

— On me dit que vous ne cessez d'importuner mes gens. Qui êtes-vous donc ?

— Mais… votre cousin, le descendant de Pierre Corneille. Et voici ma pauvre petite Marie. Voyez comme elle est faible… Le manque de nourriture, sans doute.

Une bourrade dans le dos me propulsa au bord du lit, sous le nez du vieillard. Sa peau était jaune comme du parchemin, couverte de petites taches brunes. Jamais je n'avais vu personne d'aussi âgé. Et, vivre si vieux me semblait proprement incroyable, pour ne pas dire surnaturel. Cet homme passait pour être très savant : avait-il découvert le secret de l'immortalité ?

Comme je ne pleurais pas, Papa me pinça, m'arrachant quelques larmes de douleur. Puis il poursuivit, l'air digne :

25

— J'vous serais fort redevable, monsieur de Fontenelle, si vous pouviez nous aider. Ma famille se trouve dans le plus grand dénuement.

— Qui êtes-vous donc ? redemanda le quasi-centenaire, sa main en cornet derrière son oreille.

— Jean-François Corneille, s'époumona mon père. Et ma fille Marie-Françoise. J'aurais besoin de quelque argent pour faire vivre ma famille, vous dis-je !

— Je ne connais point de Corneille vivants. Approchez-vous que je vous regarde. Ah mais ! J'avais raison, je ne vous connais pas. Oh, la jolie petite fille…, fit-il tout à coup. Pourquoi pleures-tu, ma mignonne ?

Il leva sa main squelettique pour me caresser le front, tandis que mon père soupirait enfin d'aise.

— Je… Je…, tentai-je.

Mais les mots ne sortirent pas de ma bouche. Je n'avais pas envie de mendier trois sous comme on me l'imposait. Je ressentis alors dans mon dos un douloureux pincement qui me fit grimacer et pousser un hurlement ! Le vieux en sursauta.

— Je déteste les enfants mal élevés, geignit-il d'un ton fatigué. A-t-on idée de crier ainsi ? Sortez, à présent.

Ce soir-là, en rentrant, je reçus une bonne correction. Et ma mère aussi, parce qu'elle eut le grand tort de s'interposer.

— Là, au moins, tu sais pourquoi tu pleures ! m'asséna durement mon père. Dire que je m'abaisse à jouer ces comédies pour toi, pour que t'aies un avenir !

J'en doutais fort. Son bien-être le préoccupait davantage que le mien car, s'il n'avait tenu qu'à moi, nous serions restés à Évreux. Nous n'y étions pas si malheureux que cela, lui à tourner ses pieds en bois, et ma mère et moi à tresser de l'osier.

Mais je n'osai le lui dire, de peur de me prendre quelques calottes en supplément, et je promis de geindre mieux la prochaine fois.

Par chance, je n'eus pas à le faire. M. de Fontenelle s'éteignit peu après, à l'âge de quatre-vingt-dix-neuf ans, ce qui combla mon père de joie.

À notre connaissance, nous étions sa seule parenté, même si elle était plutôt éloignée. Sûrs de tenir l'héritage, mes parents firent la fête. Comme il nous manquait bon nombre de meubles, ils en achetèrent aussitôt à crédit. Hélas, lorsque le jour de l'ouverture du testament arriva, Papa, furieux, apprit que tout l'argent du vieux allait à quatre cousines, toutes aussi éloignées que nous.

— Elles me volent mon héritage ! hurla-t-il au notaire.

Eh bien, non. Mon père était mal renseigné, Fontenelle était libre de léguer sa fortune à qui bon lui semblait.

— Je vais les attaquer en justice ! hurla-t-il encore.

— Faites, soupira le notaire qui en avait vu d'autres.

Mon père n'en dessoûla pas de trois jours, puis il fit un procès aux héritières, qu'il perdit, naturellement.

Fini les rêves de fortune ! Il fallait en prendre notre parti, nous resterions pauvres toute notre vie. Alors Papa retourna tourner des pieds chez un menuisier et je me remis à vanner des corbeilles avec ma taciturne mère.

Et mon histoire de loterie…? Eh bien, j'y arrive.

3

Je vous parlais, au début de mes Mémoires, d'une fée des gens de lettres. Elle existait bel et bien. En réalité, il s'agissait d'« un fée », un vieux monsieur adorable, gentil et désintéressé, qui me fit, de plus, l'honneur de devenir mon fervent défenseur.

Il se nommait Éverard Titon du Tillet. Il avait occupé autrefois la charge de maître d'hôtel ordinaire de la reine. Puis il avait été commissaire au Secrétariat d'État de la Guerre, sans grande conviction, car il n'aimait ni les batailles, ni les soldats. Passionné de littérature, il adorait les dramaturges du siècle passé, qu'il appelait avec emphase les « tragiques du Grand Siècle ».

Ce brave homme avait eu vent de nos malheurs, car les gazettes avaient commenté le procès qui opposait les héritiers de Fontenelle. Mon père y était présenté comme « le dernier descendant de Pierre

29

Corneille, vivant dans la misère ». M. Titon n'hésita pas un instant. Il vint nous voir dans notre taudis et nous proposa son aide.

Corneille ! Ce simple nom le mettait en transes ! Il en délirait d'émotion et me baisait la main, comme s'il se fut agi de celle de mon glorieux faux ancêtre Pierre.

— On ne peut laisser cette pauvre enfant dans le besoin, dit-il en me regardant. La dernière des Corneille !

— Oh non, on ne peut, approuva mon père, ravi. Il faut faire quelque chose… pour elle.

Je m'attendais à ce que M. Titon découvre rapidement notre supercherie, il n'en fut rien. Il est étrange de voir combien les gens honnêtes et passionnés sont crédules, et posent peu de questions !

— J'ai une idée, fit-il.

Notre ami des belles-lettres retourna tout Paris pour « me » sortir de la pauvreté. Et il y réussit. Il persuada un dénommé Fréron, un journaliste littéraire, de lui prêter main-forte. Ce monsieur fit merveille.

M. Titon m'annonça un soir, tout excité :

— Fréron a convaincu les acteurs de la Comédie-Française de donner une représentation à votre profit, mademoiselle. Ils ont été fort émus par votre détresse.

Personne ne m'avait jamais appelée « mademoiselle », j'avoue que j'en fus flattée. Quant au théâtre… Je n'y étais jamais allée et je ne comprenais pas trop ce que l'on voulait organiser pour nous. Mon père non plus d'ailleurs, mais il remercia avec force courbettes.

Je ne compris vraiment qu'un mois plus tard, le 10 mars 1760, lorsque MM. Titon et Fréron nous menèrent au « Temple de Melpomène[1] », comme ils nommaient la Comédie-Française.

Ma mère, qui n'approuvait pas, nous fit faux bond. Selon le curé, le théâtre était la demeure du Diable. Elle refusa d'y mettre les pieds, de peur d'y griller son âme éternelle. Bien sûr, personne ne l'écouta : mon père parce que les comédiens allaient lui donner de l'argent, et moi car l'endroit était dangereux pour mon salut, donc particulièrement attirant, comme tout ce qui est interdit.

Je partis avec Papa, vêtue d'une jolie robe neuve et d'un petit chapeau de paille orné de roses artificielles, cadeaux de mon gentil Titon. Toujours aussi prévenant, le cher homme voulait que je paraisse à mon avantage au théâtre.

Bigre, le Diable y était bien logé ! Je fus éblouie par la grandeur des lieux, les dorures, les velours, les lustres et l'affluence des spectateurs parés comme pour un bal de la Cour. Une actrice toute peinturlurée et à la coiffure emplumée, que M. Fréron me présenta comme étant « la Clairon », me serra dans ses bras avec effusion :

— Ah, mademoiselle ! Jouer pour une Corneille, je ne connais pas de plus grand honneur ! Ce soir,

_____
1. Personnage de la mythologie grecque, Muse de la Tragédie.

nous donnerons *Rodogune*, une pièce de votre illustre aïeul. Pour vous, certains spectateurs ont payé cinq fois le prix de leur place. Tout Paris s'est levé, tout Paris est venu, au cri de : « Il faut sauver la dernière des Corneille… »

J'en fus fort émue, je l'avoue, et je versai quelques larmes qui firent pleurer le vieux Titon. Dire que tous ces gens se démenaient pour moi, une inconnue !

Le spectacle que la Comédie-Française donna était splendide avec ses lumières et ses costumes magnifiques, mais je ne compris rien à la pièce. Bon sang, mon presque ancêtre ne parlait pas, ni n'écrivait simplement ! Ce n'était pour moi que charabia. Quant à l'histoire, elle était si compliquée que je m'y perdais dès la fin de la première scène.

Plus le temps passait, et plus les comédiens s'entre-tuaient à l'épée ou au poison, et mouraient dans de grands râles que je jugeai dégoûtants.

Les spectateurs, eux, ne semblaient pas de mon avis : on trépignait de bonheur dans la salle, on s'enthousiasmait de voir la Clairon déclamer ses vers, on buvait ses paroles.

Peu importe, cela nous rapporta cinq mille livres.

Cinq mille livres !

Vous rendez-vous compte ? Mon père manqua en tomber à la renverse ! Lui qui n'en gagnait que vingt-cinq par mois !

Nous étions enfin riches ! Papa bredouilla des remerciements sans fin à M. Titon du Tillet, à Mlle Clairon, aux autres comédiens, à M. Fréron, à

tout Paris qui s'était levé pour défendre les Corneille...

Bref, fou de joie, et ne retenant plus ses mots, il
eut le malheur, au sortir du théâtre, de déclarer à
haute voix à nos bienfaiteurs :

— Crédieu ! Avec ça, j'vais me payer une vraie vie
de roi des Indes !

Le vieux Titon ouvrit la bouche, comme assommé
par tant d'irresponsabilité. Il s'écria en hoquetant
d'indignation :

— C'est hors de question ! Cette somme est destinée à l'avenir de Marie. Elle a à présent dix-sept ans.
Il lui faut une bonne éducation ; elle sait à peine lire
et écrire...

Je me gardais bien de répondre, les études n'étant
pas mon fort. Mais mon père brailla aussitôt :

— Ben, elle en connaît déjà assez pour se marier.
Et puis, si on manque d'argent, la Comédie-Française
donnera une autre représentation ! Après tout, ça fait
un siècle qu'ils s'engraissent avec les pièces de mon
ancêtre ! Ils pourraient nous filer une partie de leurs
bénéfices de temps en temps, non ?

— Allons, monsieur Corneille, soyez raisonnable.
Songez plutôt qu'avec de l'éducation, nous marierons
Marie au-dessus de sa condition, et ferons honneur
au nom vénéré de Corneille.

Papa montra les dents, mais Titon du Tillet tint bon.

— En voilà assez ! déclara le vieil homme. Je lui
ai trouvé une place au couvent, à l'abbaye Saint-
Antoine. Je l'y conduirai moi-même !

J'avoue que l'idée de prendre, pour une fois, le parti de mon père me démangea. Allez en pension ? Ah ça non ! Me faire enfermer ? Il n'en était pas question !

Hélas, Papa était prêt à tout pour toucher son pactole. Il demanda d'un ton tout à coup radouci :

— Et si elle y va, dans votre abbaye, vous me le donnerez, l'argent ?

Titon du Tillet soupira :

— Naturellement. Une fois sa pension payée, vous pourrez disposer du reste… à condition que vous ne le dilapidiez pas en bêtises.

Ah mais ! Ils arrangeaient leurs affaires dans mon dos !

— Non, tentai-je. Je veux p…

— Elle ira ! m'interrompit en riant mon père. J'y consens. Elle me manquera, bien sûr, ainsi qu'à ma pauvre femme, mais qu'est-ce qu'on ferait pas pour notre chère Marie !

Son rire était figé, et il me pinça le bras si fort, pour me faire taire, que je grimaçai de douleur.

— Vous avez raison, reprit-il ensuite en bon chef de famille, la petite se fera des amies au couvent. Elle apprendra les bonnes manières.

M. Titon du Tillet partit content et rassuré. Quant à moi j'eus beau tempêter, trépigner, sangloter, mon père ne revint pas sur sa décision.

— Tu m'envoies à l'abbaye Saint-Antoine rien que pour toucher ton magot ! l'accusai-je, une fois rentrée à notre logis. J'veux pas y aller, moi, en pension !

— Ingrate ! C'est pour ton bien.

— Maman ! Laisse-moi rester avec toi ! Qui c'est qui va t'aider à tresser les paniers, si j'suis pas là ?

Hélas, ma mère, effacée comme à son ordinaire, ne prit pas ma défense. Pire, elle soupira avec un air ravi :

— Au couvent ! Comme t'as de la chance !

— Tresser des paniers ? reprit en riant mon père. C'est fini c'temps-là ! Tiens… J'm'achèterai une belle montre à gousset et un habit, comme les petits marquis. Et puis, on mangera plus qu'à l'auberge… et pas de la soupe, non, du confit, du gigot, du chapon rôti.

— Et moi ? pleurnichai-je à juste titre.

— Mauvaise fille ! Tu veux donc priver ta pauvre mère de gigot ? Égoïste ! Si tu vas pas au couvent, elle en aura point !

Alors je me tus, me sentant honteusement coupable de ne pas vouloir le bonheur de mes parents. Coupable de ne penser qu'à moi, et j'acceptai.

4

Dire que je détestais le couvent était encore un faible mot ! M. Titon du Tillet et mon père m'y traînèrent un beau matin d'avril et m'y abandonnèrent avec de grands sourires.

La mère abbesse, Mme de Bourbon-Condé, ne fit que m'entrevoir. C'était une femme longue et sèche ; du sang royal coulait dans ses veines, ce qui m'impressionna beaucoup. Pour elle, je n'étais pas une recrue de choix. Je faisais « tache », comme on dit, parmi les pensionnaires de son auguste maison.

Je n'y étais reçue que parce que M. Titon connaissait encore beaucoup de monde à la Cour, et parce que mon sort avait ému bien des gens dans les salons parisiens. Figurez-vous que l'on parla de moi lors des dîners de Mme de Pompadour, la favorite de notre roi Louis XV, et jusque pendant la toilette de la reine à Versailles !

À cette époque-là, les couventines étaient peu nombreuses à Saint-Antoine, à peine plus d'une vingtaine, réparties en deux classes. Compte tenu de mon âge, on me mit chez les « bleues », les grandes.

Presque toutes mes compagnes possédaient de bonnes origines, avec des arbres généalogiques remontant aux Croisades. Il y avait aussi quelques bourgeoises, que la richesse de leurs parents avait fait accepter contre de beaux écus sonnants et trébuchants. Mais on y rencontrait nullement des filles du peuple, vannières de profession.

Donc, je faisais tache. Mes compagnes me le firent comprendre d'entrée.

— Ainsi, c'est là Mlle... Corbeau ? ricana une grande perche de seize ans au teint jaune.

Voilà, j'étais baptisée. Les pimbêches de son clan se mirent à pouffer, ravies de cette trouvaille. Les bourgeoises, dans leur coin, en firent autant, mais moins fort.

— Je n'en veux point avec moi, poursuivit la grande perche, elle est bien trop commune. Il paraît qu'à la Cour on aime le poisson. Eh bien, voilà qu'à Saint-Antoine nous logeons un oiseau[1] !

Une nouvelle vague de ricanements parcourut les rangs, ce qui me fit serrer les mâchoires.

Il n'y en eut qu'une à ne pas rire, sans doute parce qu'elle se trouvait seule entre les deux groupes. J'eus

---

1. Mme de Pompadour, la favorite de Louis XV, était d'origine bourgeoise. Son vrai nom, Jeanne Poisson, donna lieu à bon nombre de plaisanteries de mauvais goût.

la chance de partager sa chambre et elle devint très vite mon amie.

Elle se nommait Clarisse de Saint-Rémy, était gentille, joviale, gracieuse sans être belle, et parfaitement sincère.

— Venez, me dit-elle. Je vais vous montrer votre armoire. Votre trousseau est arrivé hier, vous pourrez le ranger pendant que nous discutons.

M. Titon avait eu la grande gentillesse de me fournir draps, linge de corps et uniformes. Clarisse s'assit sur mon lit pour commenter :

— Ici, la vie est moins agréable qu'à l'Abbaye-aux-Bois ou qu'à Panthémont, les couvents les plus huppés de Paris. Nous ne possédons pas de domestiques personnels, et il nous est interdit d'organiser des repas ou des bals. Interdits aussi, la comédie et le dessin. Et nous ne pouvons recevoir la visite des marchands de mode et de bijoux.

J'avoue que l'idée de ces pauvres petites filles riches privées de femmes de chambre, de couturières et de bijoutiers m'amusa beaucoup !

— Alors, demandai-je, qu'a-t-on le droit de faire ?

— Rien. Obéir et se taire, naturellement ! me répondit-elle en riant. Méfiez-vous de sœur Justine et de sœur Euzébie. Elles ne peuvent éprouver plus grand plaisir que de nous punir. Enfin… tout dépend de vos quartiers de noblesse. Il y a tout de même des demoiselles que l'on ne réprimande pas.

— Comme cette pimbêche à la langue bien pendue ?

Clarisse avait compris de qui je parlais :

— Geneviève de Chaumont. Ici il y a deux coteries. Les jeunes filles bien nées de la Cour et les bourgeoises. Elles ne se mélangent pas. Je n'appartiens ni aux unes, ni aux autres. Mon père est noble, mais ma mère est bourgeoise.

— Moi, j'suis Mlle Corbeau… J'ai pas l'avantage d'être noble ni bourgeoise. J'suis un gros oiseau, noir et vulgaire.

— Allons ! Ne dites pas de sottises ! Vous portez le plus beau nom de la terre : Corneille. J'adore les tragédies de votre ancêtre.

Je n'en revenais pas ! Moi qui ne comprenais rien au charabia de Pierre Corneille, j'avais enfin sous la main quelqu'un qui pouvait me l'expliquer.

— Vous êtes donc comme cette bonne Mlle Clairon ? Vous déclamez des vers ?

Je m'arrêtai brusquement, puis je me mordis les lèvres. Était-il bien convenable de comparer une demoiselle, même seulement à moitié noble, à une comédienne ?

Mais Clarisse ouvrit des yeux émerveillés :

— Vous avez rencontré la Clairon ? La grande tragédienne de la Comédie-Française ?

Je n'aime pas à me vanter, mais l'occasion était trop belle. Je m'approchai d'elle pour lui souffler :

— Mieux que ça, elle m'a reçue dans sa loge et m'a embrassée. Et elle a joué toute une pièce, rien que pour moi.

— Dieu, quel incroyable honneur ! soupira Clarisse.

Elle était aussi impressionnée que si je lui parlais d'avoir été présentée à la reine !

*
* *

Mes malheurs ne commencèrent vraiment que le lendemain. J'avais revêtu l'uniforme noir composé d'une longue jupe de moire et d'un corsage ajusté, fermé jusqu'au cou. La ceinture bleue et la coiffe blanche bordée d'une fine dentelle me semblaient plutôt jolies, ce qui l'égayait un peu.

À peine arrivée en classe, les quolibets tombèrent :

— La Corneille a mis son costume de corbeau !

Ensuite, je pus constater toute l'étendue de mon ignorance.

Je savais à peine lire et écrire, ce qui, dans ma ville natale, faisait pourtant l'envie de mes voisins. Mais ici, il était question de rédiger des lettres, de vraies lettres, où l'on devait parler de la pluie et du beau temps, donner des nouvelles de sa santé ou encore demander une faveur. J'en étais incapable.

La géographie me posa aussi de gros problèmes. J'ignorais que Genève se trouvât dans les Alpes. Je mettais Bordeaux en Provence, et confondais les Pays-Bas avec le Pays basque.

Cela fit rire aux éclats Geneviève de Chaumont ! Me jugeant offensée, je lui fis une grimace, ce qui me valut d'être punie pour la première fois.

Le début de l'après-midi était consacré aux travaux

d'aiguille. Je m'y montrai aussi peu habile qu'enthousiaste.

Chez mes parents, la couture servait à raccommoder les vêtements. À Saint-Antoine, sœur Gontrane nous apprenait l'art futile et délicat du « petit point », le point de croix, du point lancé et du feston, disciplines que l'on n'utilisait guère sur les cotillons de laine ou les culottes de gros drap.

J'avais beau tirer la langue pour m'appliquer, je n'arrivais pas à compter les fils, et je me piquais sans cesse les doigts. Comme j'eus le malheur de lâcher quelques jurons, je reçus une seconde punition.

La leçon de catéchisme qui suivit ne fut pas plus agréable. Le curé de notre paroisse, un homme fort simple, ne nous ennuyait jamais avec les grandes figures bibliques. Outre nos prières, il nous demandait seulement de connaître les dix commandements par cœur et de les appliquer.

Je fus donc incapable de dire à sœur Justine qui étaient Job, le roi David et Salomon. Encore que pour Salomon, je crus bien faire en lui expliquant qu'il existait à Évreux un aubergiste de ce nom, réputé pour ses andouillettes et ses pieds de cochon.

Geneviève de Chaumont déclara tout haut qu'elle n'avait jamais tant ri de sa vie, ce qui me mit en colère. Comme je me levai en retroussant mes manches, déterminée à lui donner une gifle, sœur Justine m'arrêta par le bras et me colla aussitôt une troisième punition.

Que dire du cours de danse ? Eh bien, il fut horrible, tout simplement. Une espèce de petit-maître ridicule, avec une courte perruque poudrée et des mollets de coq moulés dans des bas de soie, tenta de m'inculquer les rudiments du menuet.

— En cadence ! me criait-il. En cadence !

Cadence ? Quelle cadence ? Les pas étaient compliqués. J'avais les jambes raides, les pieds lourds. Sans le vouloir, je fis un croche-pied au professeur qui s'étala de tout son long. Vexé comme un pou, il dit en hurlant que, si je recommençais, je serais exclue de son cours.

Peu après le dîner, sœur Euzébie, désespérée, me déclara froidement :

— En plus, vous ne savez pas vous tenir à table ! Vous n'êtes donc bonne à rien ? Que dis-je, bonne à rien... Voilà que j'exagère ! Vous êtes mauvaise à tout !

Ces mots injustes piquèrent mon orgueil. Je m'empressai de répondre :

— J'suis une bonne vannière ! Donnez-moi de l'osier, et j'vous tresserai les plus beaux paniers qui soient !

— Des paniers ! pouffa Geneviève de Chaumont d'un air méprisant. On se croirait à la halle !

— Espèce de vipère ! répliquai-je entre mes dents.

Et je fus punie une quatrième fois.

Sans le savoir, je venais de remporter la palme de l'indiscipline, en recevant le plus grand nombre de punitions jamais infligé dans cet établissement depuis sa création, qui était pourtant fort ancienne.

Je fus consignée pour les quatre samedis suivants,

avec ordre de nettoyer le sol de la chapelle, puis celui de l'infirmerie, et enfin celui du parloir. Par chance pour moi, le dimanche étant jour du Seigneur, il était interdit de travailler. Sans quoi on m'aurait sans aucun doute confié d'autres travaux.

*
* *

— J'aime pas les études ! dis-je à Clarisse le premier soir en pleurant.

— Des études ? gloussa ma nouvelle amie. Allons, ici les religieuses ne nous apprennent rien. Imaginez… cela pourrait nous donner envie de réfléchir, et personne ne le souhaite ! Nos parents espèrent faire de nous des oies blanches, des bécasses faciles à manipuler.

Je ne comprenais pas trop ce qu'elle voulait dire. D'ailleurs, que m'importait de réfléchir ! Ce qui m'inquiétait dans l'immédiat était de suivre les cours sans me faire punir. Clarisse m'expliqua :

— Écrire des lettres est une question d'habitude. Je vous montrerai. L'histoire et la géographie ? Il suffit de posséder de bons livres, et je vous en prêterai.

Un peu honteuse, je n'osai lui dire que je lisais très mal. Mon père m'avait appris mais, selon lui, je n'avais pas de temps à perdre à de telles bêtises.

— Pour l'instruction religieuse, reprit Clarisse, il faut une bonne mémoire et c'est tout.

— Et la danse ? Et la broderie ?

43

— Ah ça ! C'est vrai que vous n'êtes guère douée. Là, je ne peux rien pour vous. Autre chose… Pendant les repas, vous ne devez pas faire de bruit en mangeant, ne pas mettre vos coudes sur la table et tenir vos couverts avec élégance.

Comme je grimaçais, elle soupira :

— Il vous suffira de me regarder et de m'imiter.

Elle soupira encore et continua :

— Nous nous trouvons dans un couvent à l'ancienne, ma pauvre. À Panthémont, les religieuses enseignent la botanique, les mathématiques, la littérature, les langues étrangères et même l'astronomie ! On y éduque de vraies demoiselles des Lumières.

— Des quoi ? Pourquoi parlez-vous de lumières ?

Clarisse se mit à rire :

— Les Lumières, avec une majuscule. C'est une métaphore.

— Une quoi ? m'écriai-je.

— Chuttt ! Les Lumières, c'est une sorte de mouvement qui prône la liberté de penser… La Raison est, comme qui dirait, éclairée…

Je la regardai, ébahie. Pour moi, avoir raison était le contraire d'avoir tort. Quant aux mouvements de lumières en majuscules…

— Alors, lui lançai-je, ici, point de Lumières ?

— Non. Ici, nous nous contentons de la vie des saints et de la broderie au petit point. Les sœurs forment de bonnes mères de famille, qui ne remettront pas en cause l'ordre établi, et surtout, oublieront de réfléchir.

44

Elle alla jusqu'à la porte écouter si quelqu'un passait dans le couloir. Puis elle revint sur la pointe des pieds, et sortit de dessous son matelas un livre recouvert de cuir fauve.

— Voilà ce qui s'appelle étudier, me dit-elle d'une voix pleine de mystère.

Elle leva l'ouvrage au niveau de mes yeux et poursuivit :

— Avez-vous entendu parler des philosophes ?

Mon cher vieux Titon du Tillet m'en avait touché deux mots. Je tentais donc d'impressionner Clarisse avec mes faibles connaissances :

— Y s'agit de penseurs. Certains se sont groupés pour écrire un livre, la « cyclopéde ». Mais ce sont pas de bons chrétiens, car la plupart ne croient pas en Dieu.

Clarisse se mit à rire. Lorsqu'elle vit mon air maussade, elle s'arrêta aussitôt pour m'expliquer :

— Vous avez raison. Cependant votre définition de l'Encyclopédie est un rien… naïve. Avez-vous déjà entendu parler de Voltaire, de Diderot et de Rousseau ?

J'avouai que non. Clarisse me tendit son livre sur lequel je pus décrypter en ânonnant le nom de Jean-Jacques Rousseau.

— J'adore cet écrivain ! me dit-elle béatement. Il prône l'égalité des hommes et le retour à la Nature. Ses idées sont grandioses, novatrices, dignes des Lumières, en un mot : dignes d'un génie ! Tenez, je vous le prête. Prenez-en soin, sa lecture est interdite ici.

Je la remerciai gravement d'un signe de la tête. Je sentis bien que nous partagions là un lourd secret. Je pris l'ouvrage entre les mains, comme s'il s'était agi d'une sainte relique, et je promis de le lire sans tarder.

À vrai dire, je n'en fis rien. La seule lecture du titre : *Discours sur l'origine de l'inégalité parmi les hommes* me donna mal au crâne. Arrivée à la sixième page, je refermai l'ouvrage doucement, sans en avoir compris un traître mot.

Après quoi, je m'endormis en me disant que je ne devais pas être douée non plus pour la philosophie.

5

Grâce à Clarisse, je parvins à m'adapter. Tout d'abord, je réussis à ne plus faire cas des quolibets. Quand on m'appelait « Mlle Corbeau », je m'exclamais aussitôt, hilare : « Ah, c'est d'un drôle ! », ce qui désarmait Geneviève de Chaumont et ses acolytes.

Clarisse, pour me consoler, ne cessait de répéter que je n'étais pas plus bête qu'une autre. En conséquence, je finirai bien par arriver à faire entrer dans ma cervelle les miettes de savoir que les religieuses nous jetaient en pâture.

Effectivement, j'étais moins sotte qu'il n'y paraissait. Comme j'avais une bonne mémoire, j'appris très vite mon livre d'histoire sainte. Par chance, il était écrit bien gros et offrait l'avantage de posséder de nombreuses gravures que je mémorisai.

Sœur Euzébie, dans un accès de générosité inhabituelle, me fournit une carte du royaume avec les principales villes et tous les évêchés. Je la retenais aussi du mieux que je pus.

Le soir, Clarisse me faisait répéter la généalogie des rois de France et des empereurs de Rome. Je n'en voyais nullement l'intérêt, mais mon amie m'expliqua qu'une demoiselle bien née se devait de connaître de telles choses.

— Plus tard, si vous fréquentez les salons, vous tomberez peut-être sur un érudit qui vous demandera : « Qui succéda à Octave Auguste ? » Et vous resterez le bec dans l'eau, comme une bécasse, à ne pouvoir répondre.

Je m'en moquais éperdument ! Mais, bien qu'il me semblât hautement improbable que l'on me posât un jour une telle question, je retins rois de France et empereurs romains.

Restaient la broderie, la danse et le français.

Étant d'une nature ouverte, et peu encline à la réserve, je ne pouvais me résoudre à souffrir en silence les heures de broderie et de danse. Je perturbais mes camarades, et je continuais à collectionner les punitions.

— Nous ne transformerons jamais un tel âne en cheval de course, se lamenta sœur Gontrane en parlant de moi. Il faut en prendre notre parti. Elle est déjà punie tous les samedis jusqu'à la Pentecôte. Encore un peu, et elle le sera jusqu'à l'Assomption [1]!

---

1. Fêtes religieuses. La Pentecôte se célèbre le septième dimanche après Pâques (fin mai ou début juin), l'Assomption, le 15 août.

Dispensons-la de danse. Mais... pour le point de croix, comment ferons-nous ?

À bout de patience, la brave religieuse me donna, à la place de la broderie, des aiguilles de bois et de la laine. On me demanda de tricoter des bas pour les pauvres. Quand j'en eus assez des bas, je passai aux bonnets, aux écharpes, puis aux gants. Le tricot, finalement, n'était pas si éloigné de la vannerie et, somme toute, bien plus féminin. J'y fis merveille.

Le gros de mes efforts se porta surtout sur le français. On me fit comprendre très vite que la langue que je parlais écorchait les oreilles.

— Savez-vous qu'il existe des négations et que ce n'est pas fait pour les chiens ? m'asséna un beau matin Geneviève de Chaumont.

Négation. J'ignorais même que ce mot existât ! Clarisse se mit alors en devoir de me faire parler la langue de... Corneille.

— J'suis pas capable, lui lançai-je, au désespoir.

— Non. Vous devez dire : « Je n'en suis pas capable. »

— Peu importe, on va pas couper les cheveux en quatre, j'en suis pas capable.

Clarisse, avec une patience d'ange, me reprit une nouvelle fois :

— Cessez d'utiliser « on » à tout va. Il faut dire « nous », et point « on ». « On » est indéfini. Ainsi, la bonne phrase est : « Nous n'allons pas couper les cheveux en quatre, je n'en suis pas capable. »

— Vous voyez bien ! Vous me le faites remarquer, vous-même, que je n'en suis pas capable...

— Parfait ! s'écria mon amie en sautant de joie. Vous y êtes arrivée ! De même, articulez : « Je suis », et non pas « j'chuis », comme une paysanne, et prononcez « cela », à la place de « ça »... Faites-moi ce plaisir, Marie.

Je promis et elle m'embrassa sur les deux joues.

Par la suite, j'essayai de mettre ses conseils en pratique. Cela eut pour résultat que l'« on » cessa de rire chaque fois que j'ouvrais la bouche, et que certaines se risquèrent à me parler.

Mes camarades m'adoptèrent définitivement un soir que je réalisais un exploit d'un grand courage.

Je tentais de mémoriser les différents titres de noblesse, par ordre de hiérarchie, ce qui est, paraît-il rigoureusement in-dis-pen-sable si l'on veut aller dans le monde. J'hésitais entre duc et comte, lorsqu'un hurlement me fit sursauter.

— Qu'est-ce donc ? souffla Clarisse en enfouissant sous son oreiller son « Jean-Jacques » (les adeptes de ce philosophe appellent ainsi M. Rousseau).

Nous sortîmes en courant de notre chambre pour découvrir un troupeau de demoiselles en uniforme devant celle de Geneviève de Chaumont.

Notre princesse locale – car elle se prenait pour telle, bien que son père ne fût que marquis – criait qu'elle allait périr, ce qui nous fit pousser sa porte sans attendre. Nous la trouvâmes grimpée sur une chaise, ses jupes serrées contre elle. Geneviève, au visage pourtant si jaune, était blanche de peur.

— Une araignée, là ! cria-t-elle de plus belle. Elle est monstrueuse, toute velue et sûrement venimeuse !

Je vis certaines des couventines faire demi-tour avec effroi. Quant à moi, je mourais d'envie de rire !

— Où se trouve-t-elle ? demandai-je.

— Là... Sur le rideau.

Je m'en approchai avec tous les signes d'une grande prudence, tandis que dans mon dos les plus courageuses reculaient d'un pas. Effectivement, il y avait une énorme araignée.

— Ah la sale bête ! déclarai-je avec assurance. Pour sûr, elle doit être venimeuse, vous avez raison.

Je n'en pensais pas un mot, mais j'adorais me donner ainsi le beau rôle. Je me penchai alors pour enlever ma chaussure et j'écrabouillai d'un geste théâtral la bestiole qui tomba au sol, recroquevillant ses pauvres longues pattes poilues dans un dernier sursaut de vie.

Un décuple hurlement retentit dans la pièce ! D'horreur et d'admiration mêlée. J'étais devenue une héroïne. J'avais pourfendu, presque à mains nues, ce dangereux animal sauvage.

— Puis-je descendre de ma chaise ? demanda Geneviève d'une voix tout aussi blanche que son visage.

— Vous pouvez, il n'y a plus de danger. Elle vous a piquée ?

— Oui, au poignet...

— Juste ciel !

51

Elle manqua tourner de l'œil, mais je la rassurai :

— Vous avez de la chance. Avec ce genre de bête, on meurt dès la troisième piqûre.

Je me moquais d'elle, bien sûr, ce qui me fit énormément de bien. Je gardais toujours en travers de la gorge ses méchants « Corbeau ».

— Vous m'avez sauvée, me dit Geneviève d'un ton plein de sincérité. Je vous serai redevable à jamais, mademoiselle… Corneille.

Dans la pièce, les autres approuvèrent. Cependant mon triomphe fut de courte durée, car sœur Euzébie, alertée par notre raffut, fit son entrée et nous expédia dans nos chambres.

Dès le lendemain, je marchais dans les couloirs, auréolée de gloire. On me parlait et on me souriait. Tout cela grâce à une pauvre araignée qui n'avait cherché qu'à entrer au couvent pour y trouver un peu de chaleur.

Paix à son âme !

6

Curieusement, je finis par prendre goût au couvent. J'y mangeais bien, j'y vivais dans un certain confort et mes camarades me traitaient à présent avec respect.

La petite chose noiraude, qui était arrivée voilà cinq mois, avait grandi et pris des formes. Je dus rallonger mes jupes et élargir mes corsages.

Les miroirs étaient interdits, bien sûr, mais la plupart des couventines en possédaient un petit, caché entre deux draps dans leur armoire à linge. Je me regardai un jour avec curiosité dans celui de Clarisse.

Mon visage n'était pas déplaisant. Je possédais de beaux cheveux noirs, des yeux de même, et un nez retroussé au-dessus d'une bouche pulpeuse. J'avais des dents magnifiques, de vraies perles, ce qui n'était pas le cas de la plupart de mes riches camarades, qui mangeaient des friandises[1] depuis leur plus tendre enfance.

---

1. Le sucre, denrée rare et chère, n'était utilisé par le peuple que

Ma peau, hâlée par des années de marchés en plein soleil, était redevenue d'un blanc rosé parfaitement distingué.

Je commençais à ressembler à une vraie jeune fille. J'étais presque devenue une demoiselle. Physiquement, tout du moins, car pour ce qui concernait ma cervelle vide, il restait encore bien du travail !

J'avais toujours beaucoup de mal à écrire. Je recevais de temps en temps de jolies lettres de mon cher vieux Titon. Je me devais d'y répondre, mais je n'y arrivais pas. Ma bonne Clarisse me préparait alors un brouillon que je recopiais en essayant de ne faire ni pâtés, ni ratures.

Mon amie rédigeait également les billets que j'envoyais à mes parents. Hélas, j'attendais chaque jour le courrier sans jamais avoir le moindre mot de leur part. Mon père, lui non plus, n'était pas doué pour écrire. Mais, ma mère ou lui auraient pu faire appel à un écrivain public, pour quelques sous. Ils ne le firent pas.

Comme l'affirme le dicton populaire : « Pas de nouvelles, bonnes nouvelles », me direz-vous. Cependant, j'en souffrais.

---

dans les grandes occasions, fêtes religieuses ou mariages. En revanche, il était plus largement consommé par les bourgeois et les nobles, sous forme de bonbons, de gâteaux, de confitures, ou en poudre dans le café. Par ailleurs, peu de gens se brossaient les dents. On se contentait de se rincer la bouche avec des solutions anisées ou mentholées.

De même, alors que mes camarades rencontraient leur famille au parloir, je ne recevais jamais leur visite. Cela me faisait grand-peine.

Mais, avec le temps, je trouvai mille excuses à Papa et Maman. Qu'ils ressentent du remords, pour m'avoir enfermée au couvent, me plaisait assez. N'avais-je pas accepté la réclusion, afin qu'ils touchent l'argent de la Comédie-Française ? Et pour que ma pauvre mère puisse manger du gigot tous les jours ?

Je les imaginais, incapables de soutenir mon regard de malheureuse prisonnière... Je les entendais murmurer d'un air contrit, devant leur assiette de gigot :

— N'allons pas la voir, elle aura trop de peine.

J'avais tellement envie de m'en convaincre. J'avais tort.

M. Titon du Tillet me rendit visite à l'Assomption avec un de ses amis poète, un dénommé Le Brun. C'était une espèce de jeune bellâtre à perruque poudrée et justaucorps brodé, qu'il me présenta comme le secrétaire du prince de Conti, fonction que le poète occupait en attendant de devenir célèbre.

Ils m'offrirent le plus gentiment du monde une corbeille de fruits confits. Les friandiscs étaient sûrement délicicuses, mais je trouvai la corbeille parfaitement ordinaire. J'en tressais de plus jolies ! Naturellement, je me gardai bien de le leur dire.

— Merci... Avez-vous des nouvelles de mes parents ?

Hélas, je ne pus arracher à M. Titon qu'un curieux « parlons d'autre chose » qui me tracassa des jours durant.

Ensuite M. Le Brun se lança dans de longues explications au style ampoulé. J'y compris à demi-mot que l'on parlait toujours de moi dans les salons.

Les deux hommes correspondaient avec bon nombre d'écrivains. Ils me citèrent des noms : Fréron, que je connaissais déjà, Voltaire, d'Alembert et Grimm. Ces personnes devaient me parrainer dès ma sortie du couvent.

— Et... M. Rousseau ? demandai-je à tout hasard.

Cela fit bondir le jeune Le Brun :

— Certes pas ! dit-il d'un ton offusqué. Ce monsieur n'est pas de mes amis ! Je ne partage pas ses idées.

J'avoue que j'en fus un peu déçue, surtout à cause de Clarisse qui l'aimait tant.

— Mais, M. de Voltaire a répondu, poursuivit-il avec un grand sourire. Et M. Fréron propose également de s'occuper de vous.

*
* *

J'en discutais longuement avec Clarisse. Elle trouvait merveilleux que des hommes de plume puissent venir en aide à des jeunes filles dans le besoin.

— S'ils vous laissent choisir, me dit-elle, prenez Voltaire.

— Et pourquoi donc ?

— Enfin ! Parce qu'il est le philosophe le plus célèbre de notre temps ! Il écrit aussi des contes et des pièces de théâtre. En plus, il est fort riche et vit dans un château. Il connaît le roi de Prusse en personne. Il lui donne des conseils pour rendre son peuple heureux.

Je me gardai cela en mémoire. Cependant, qu'un homme qui fréquentait le roi de Prusse puisse me venir en aide, me sembla proprement incroyable.

— Mais, demandai-je avec inquiétude, quel genre de philosophe c'est donc ?

— Du genre très impertinent. Il aime s'en prendre aux grands et à l'Église. À tel point qu'il a tâté à plusieurs reprises de la Bastille. Et, comme il ne sait tenir, ni sa langue, ni sa plume, il a dû quitter la France. Il est revenu depuis peu. Il s'est acheté, paraît-il, une terre près de la frontière suisse.

— Pourquoi si loin de la capitale ? demandai-je.

— Le roi ne veut pas de lui à Paris. Voltaire dit des vérités que le pouvoir ne peut entendre. On raconte que, s'il s'installe si loin, c'est pour fuir plus aisément à l'étranger en cas d'arrestation.

J'en restai tout étonnée. M. Titon souhaitait me donner pour parrain un tel homme ? Un philosophe qui s'en prenait au gouvernement et à Dieu ?

— Quelle chance ! poursuivit Clarisse, aux anges. Imaginez qu'il vous invite chez lui...

Eh bien non, je ne l'imaginais pas ! À mon sens, ce monsieur se contenterait de payer ma pension au couvent. Il avait sûrement des choses autrement plus sérieuses en tête que de faire la conversation à une bécasse quasiment illettrée !

— De toute façon, lui dis-je pour lui remettre les pieds sur terre, mes parents ne me laisseront jamais partir à l'autre bout de la France. Ils m'aiment trop pour se séparer de moi.

*
* *

J'en sus plus après la Toussaint. M. Titon et M. Le Brun, le bellâtre poudré, revinrent me saluer. Mon vieil ami m'avoua alors :

— Votre père s'est bien mal conduit. Il a dilapidé votre argent en quelques semaines, comme le dernier des malotrus. Vous êtes de nouveau ruinés. En plus, il a démissionné de son travail, pour vivre comme un oisif. Ne vous inquiétez pas, je lui ai trouvé un emploi de facteur à la Petite Poste[2], à quarante-huit livres par mois. C'est toujours mieux que rien.

J'encaissai le coup, même si, tout au fond de moi, la chose ne m'étonna qu'à moitié. Je comprenais à présent pourquoi ma famille n'était pas venue me voir !

— Mais, ajouta-t-il, j'ai des nouvelles plus agréables à vous transmettre.

M. Titon poussa en avant son ami Le Brun, qui sortit une lettre de sa poche. J'y vis une écriture nerveuse et fort belle. Le jeune homme m'expliqua :

---

2. Nom donné à la Poste de Paris.

58

— J'avais envoyé à M. de Voltaire un poème de ma composition, une ode en trente-trois strophes, pour vanter vos mérites virginaux et ceux, immenses, de votre auguste ancêtre. J'avais imaginé son noble fantôme jaillir du sépulcre, pour se porter à votre secours, vous, innocente et malheureuse enfant. M. de Voltaire a beaucoup aimé. Il a eu la grande bonté de me répondre. Je vais vous lire...

Pendant un instant, j'ai pensé avec angoisse que M. Le Brun s'apprêtait à me déclamer ses trente-trois strophes ! Non, fort heureusement, il n'en fit rien et poursuivit :

— Sa missive que voici :

« Il convient assez qu'un vieux soldat du grand Corneille tâche d'être utile à la petite-fille de son général. Je suis vieux, j'ai une nièce qui aime tous les beaux-arts et qui réussit dans quelques-uns. Si la personne dont vous me parlez voulait accepter, auprès de ma nièce, l'éducation la plus honnête, elle en aurait soin comme de sa fille. Je chercherai à lui servir de père. Le sien n'aurait absolument rien à dépenser pour elle... Si cela convient, je suis à vos ordres... »

Avais-je bien compris ce que M. Le Brun venait de lire ? Ce Voltaire et sa nièce parlaient de me traiter comme leur propre fille ? Moi, une inconnue ?

Je regardai mes deux visiteurs d'un air éperdu. Dire qu'il y a encore quelques instants, je désespérais de subir les mauvais vers de M. Le Brun ! Depuis des mois, les deux hommes avaient convaincu une multitude de personnes de m'aider. Et voilà qu'ils m'offraient, sur un plateau, un avenir doré chez la personnalité la plus célèbre de notre temps !

Ma gorge se serra, les mots ne parvenaient plus à sortir de ma bouche. Je me mis à pleurer !

Je parvins enfin à balbutier des remerciements. Je promis de devenir la meilleure des filles adoptives, la plus obéissante, la plus reconnaissante. Il ne s'agissait point de mots en l'air, je le pensais vraiment.

M. Le Brun en versa sa petite larme, lui aussi, ce qui gâta son maquillage blanc. Il reprit tout en rangeant la précieuse lettre dans son gilet :

— La proposition de M. de Voltaire a déjà fait le tour des salons de Paris. Tout le monde le loue pour sa bonté et sa générosité. Autant vous dire que je suis immensément fier d'avoir été l'humble intermédiaire qui a permis un dénouement si heureux.

— Quant à moi, ajouta M. Titon, je suis rassuré de vous savoir à l'abri du besoin, ma chère enfant. Je suis si âgé[3], que je n'aurais pu vous protéger encore bien longtemps.

— Vous êtes le meilleur des hommes, m'empressai-je de lui répondre avec émotion. Mais… mes parents ? demandai-je tout à coup, qu'en pensent-ils ?

Mon vieil ami eut un rire amer :

_____

3. M. Éverard Titon du Tillet mourut deux ans plus tard, à l'âge de quatre-vingt-sept ans.

60

— Ils sont d'accord, bien sûr. M. de Voltaire vous payera votre voyage. Ils n'auront pas le moindre sou à débourser. Votre père m'a fait quelques allusions fort désagréables, comme quoi il aimerait vivre lui aussi chez M. de Voltaire. Ah ça ! J'ai refusé tout net !

— Notre grand homme demande que vous patientiez jusqu'au mois prochain, poursuivit Le Brun, le temps pour lui de préparer votre venue.

— Dites-lui qu'il me tarde de le rencontrer.

— Envoyez-lui un mot, mon petit, il en sera fou de joie !

Je grimaçai. Comment refuser ? Puis je pensai que ma gentille Clarisse l'écrirait pour moi. À peine revenue du parloir, je lui en confiai la tâche. Elle se mit à l'œuvre en gloussant de joie.

— Si on m'avait dit qu'un jour je m'adresserais au grand Voltaire ! Marie, vous me comblez.

Elle coucha à ma place, sur le papier, maints remerciements que j'approuvai du fond du cœur. Je n'eus plus qu'à recopier en tirant la langue, ce qui me prit tout de même une bonne heure. Je tremblai tant que je dus m'y reprendre à quatre fois, que je gâchai ses plus belles feuilles par des pâtés et des ratures, que j'ébréchai une plume neuve et que je me barbouillai les mains d'encre comme une débutante.

Quel calvaire ! Aujourd'hui, j'en ris encore !

*
* *

J'avais donc gagné à la loterie, et voilà que j'allais vivre dans un château.

Cependant, ma vie de future châtelaine commença plutôt mal. Je fus appelée peu après dans le bureau de la mère supérieure. Mme de Bourbon-Condé me reçut fraîchement :

— Nous avons appris votre prochain départ chez M. de Voltaire. Un mécréant, un mauvais homme, un… philosophe ! Peu importe, soupira-t-elle avec mépris, je ne suis fort heureusement pas votre tutrice. En revanche, je vous demanderai de quitter les lieux au plus vite.

Je retins mon souffle. Elle me jetait dehors ? Mme de Bourbon-Condé continua :

— Votre pension n'est plus payée depuis trois mois, ainsi que vos frais de blanchisserie. Et nous n'avons jamais reçu votre bois de chauffage[4]. Nous ne saurions le tolérer. J'ai convoqué M. Corneille, votre père, qui viendra vous chercher.

La gorge serrée, je préparai donc mes bagages.

Je m'en fus rendre aiguilles à tricoter et laine à sœur Gontrane, en la remerciant pour sa patience. Puis je fis de même avec sœur Euzébie, à qui je restituai sa carte du royaume.

---

4. Les familles devaient fournir une « voie », soit une charrette de bois, par an. L'entretien des draps était à la charge de Saint-Antoine, mais pas celui du linge de corps qui devait être payé par les pensionnaires.

— Je suis navrée, lui dis-je, il me reste encore trois samedis de punition que je ne ferai point.

— Dommage que vous partiez, la chapelle n'avait jamais été si propre, plaisanta-t-elle. Que Dieu vous garde, ma petite, ajouta-t-elle d'une voix chevrotante que je ne lui connaissais pas. Et n'écoutez pas ce M. de Voltaire. On raconte qu'il bafoue ouvertement Notre Seigneur.

Je m'y engageai, pour lui faire plaisir. Ensuite, je fis des adieux déchirants à Clarisse. Mon amie se mit à me tutoyer :

— Tu m'écriras, n'est-ce pas ? Tu m'enverras de tes nouvelles ? Ne t'inquiète pas si tu fais des fautes, moi je m'en moque !

Puis elle courut jusqu'à son lit :

— Tiens, prends mon « Jean-Jacques », je te le donne. Garde-le en souvenir de moi.

Je promis de lui écrire et je l'embrassai tout en la serrant dans les bras. Puis je partis le cœur bien lourd. Au détour d'un couloir, je croisai Geneviève de Chaumont. Elle aussi m'embrassa. Qui l'eût cru !

— Prenez soin de vous, Marie, me glissa-t-elle.

Je lui adressai un petit geste de la main avant de disparaître. Hélas, la porte du couvent s'ouvrit trop vite à mon goût. Mon père se trouvait derrière, vêtu de son éternelle veste de velours et de son vieux tricorne de feutre noir.

— T'en as mis du temps ! me lança-t-il en guise d'accueil. Dépêche-toi, ta mère nous attend. Elle s'est remise à tresser des paniers, comme la pauvresse qu'elle est… Ah, ça doit pas trop te tracasser, m'accusa-t-il ensuite, toi qui pars vivre dans un château pendant que nous autres, on va trimer comme des forçats pour gagner not' croûte !

— Qu'est-ce que t'as fait de l'argent de la Comédie-Française ? demandai-je froidement en retrouvant aussitôt mon parler populaire. Ma pension au couvent coûtait quatre cents livres par an. À quoi t'as dépensé les quatre mille six cents restantes ?

Papa en resta muet, mais un instant seulement.

— J'vois qu'on t'a pas appris les bonnes manières, à Saint-Antoine. Tu réclames des comptes à ton père, maintenant ? Eh ben, j'ai payé nos dettes et j'ai pris du bon temps ! J'ai eu tort ? J'devais pas ? Après toutes ces années à m'occuper de toi ? Égoïste que tu es !

Pour moi, c'en était trop ! Dire que j'avais travaillé dur pour lui, dès l'âge de six ans ! Dire que je venais de vivre cloîtrée durant huit mois, uniquement pour que ma mère puisse manger du gigot… Que j'avais été naïve !

Je pris mon sac et je m'éloignai.

— Où donc c'est que tu vas ? s'écria mon père.

— Ailleurs, lançai-je sans même me retourner. Comme ça, j'te coûterai plus rien !

Le soir même, j'emménageai chez le brave M. Titon du Tillet.

7

Mon gentil vieux monsieur m'accepta, naturellement.
Je passai la soirée à pleurer :

— Quel ingrat ! Mon père est en tort, mais il cherche encore à me culpabiliser.

M. Titon me tendit un mouchoir. Avec sa peau
toute ridée et ses gros sourcils blancs, il était le grand-
père dont j'avais toujours rêvé.

— Là, là, mon enfant, n'y pensez plus, me consola-
t-il. Une nouvelle vie va commencer pour vous. Au
château de Ferney, chez Voltaire, vous oublierez bien
vite tous vos malheurs.

Son ami Le Brun me proposa une tasse de café. Il
tapota ensuite les coussins d'un fauteuil près du feu,
où il me fit asseoir. Tant de prévenance m'allait droit
au cœur.

— M. de Voltaire m'a envoyé de l'argent, reprit
mon « bon fée ». Mes nièces vous aideront à faire des

emplettes, car il vous faut quelques vêtements. C'en est fini pour vous des uniformes noirs du couvent. Je vous aurais accompagnée de grand cœur, mais je suis bien vieux.

Dès le lendemain, je n'eus plus le temps de penser à mes parents ! Mlles Vilgenou et Félix, deux adorables vieilles demoiselles, me traînèrent en caquetant et en pouffant de joie dans toutes les boutiques du Palais-Royal. Elles m'y commandèrent deux robes et un manteau, du linge de corps et maints colifichets, aussi ravissants qu'inutiles. Elles semblaient ravies de s'occuper de moi, comme de grandes petites filles qui jouent à la poupée. Je les laissais faire, heureuse de n'avoir plus à me soucier des lendemains.

*
* *

Pourtant, une fois encore, tout manqua mal tourner.

Pendant que je préparais ma malle, M. de Voltaire faisait enquêter sur mon passé. Il demanda à une de ses amies parisiennes, Mme la comtesse d'Argental, de se renseigner, afin de savoir quel genre d'oiseau on lui envoyait.

Les salons de Paris colportaient déjà la nouvelle qu'il voulait adopter « la dernière des Corneille ». On l'en glorifiait, bien sûr, on l'encensait de tant de générosité. Mais ce grand philosophe possédait beaucoup de détracteurs. Ils surveillaient ses moindres faits et gestes afin de le tourner en ridicule, de le compromettre. Et si cette petite Corneille allait ternir sa réputation ?

Le premier rapport de cette amie, Mme d'Argental, ne fut pas en ma faveur. Elle avait découvert ma fausse filiation. M. de Voltaire apprit très vite que je n'étais pas une descendante du poète.

Tout le monde sut bientôt que son sang ne coulait pas dans mes veines. Je n'avais de Corneille que le nom. Mon père jura ses grands dieux qu'il l'ignorait. Il exhiba son faux certificat et déclara que c'était sûrement une méprise du curé de Rouen. Cependant, il ne fallait pas être grand clerc pour comprendre le profit qu'il espérait tirer de la situation.

Pour parler comme à la foire : il y avait grave tromperie sur la marchandise. Toutefois, le projet de me faire venir chez lui était déjà si avancé que M. de Voltaire ne pouvait l'annuler.

— Tant pis, écrivit-il à son amie, je prends quand même cette demi-Corneille ! Envoyez-moi Cornélie[1] à Ferney !

Mme d'Argental passa alors voir mes parents. Cette rencontre ne lui plut qu'à moitié.

Comme elle me le raconta plus tard, mon père la reçut en gémissant. Il pleura longuement sur ses mal-

---

1. Voltaire appelait affectueusement Marie par de nombreux surnoms, la plupart étant des personnages de tragédies de Corneille. Ainsi, elle fut Chimène, Cornélie, Rodogune ou Émilie. Il la surnommait aussi Marmotte et Cornélie-Chiffon.

heurs. Il exhiba ma pauvre mère malade, au milieu de ses baquets emplis d'eau et d'osier. Maman se laissa faire, honteuse. Il expliqua ensuite que j'étais la prunelle de ses yeux, son bâton de vieillesse. Il ne m'avait envoyée chez M. Titon, mentit-il, que pour m'épargner cette vie si misérable, et ne pas gâter mes blanches petites mains, rendues si fragiles par l'oisiveté du couvent.

— Je la laisserai partir chez ce M. de Voltaire qu'avec le plus grand des regrets, conclut-il.

Mme d'Argental fut écœurée de tant de comédie. Cependant, alors qu'elle s'apprêtait à sortir, Maman l'arrêta pour lui glisser doucement :

— Ma Marie, ce M. de Voltaire, il la rendra heureuse, n'est-ce pas ? Elle le mérite, vous savez. C'est une bonne petite.

Il y avait tant de sincérité dans le ton de ma mère que le cœur de Mme d'Argental chavira. C'étaient les premières paroles franches et sensées qu'elle entendait sous ce toit.

Elle fit aussitôt signer à mes parents de nombreux papiers autorisant M. François-Marie Arouet, plus connu sous le nom de M. de Voltaire, à me loger chez lui, à pourvoir à tous mes besoins et à me donner une éducation : le philosophe devint à dater de ce jour mon tuteur.

Inutile de vous dire que Mme d'Argental remit aussi à mon cher père une bourse bien garnie, afin de lui ôter ses derniers scrupules de me voir partir si loin de lui, moi, la prunelle de ses yeux.

8

Le 2 décembre 1760, M. Le Brun, M. Titon et ses deux vieilles nièces me menèrent au coche pour Lyon. Mme d'Argental, une dame d'une grande élégance, m'y attendait. Elle m'accompagnait jusqu'à Lyon où quelqu'un me prendrait en charge, pour me conduire ensuite au château de Ferney, près de la frontière genevoise.

Ah les embrassades, les pleurs, les conseils, les consignes ! J'en reçus pour vingt ans !

La veille, j'avais fait la paix avec ma famille. En fait de paix, il s'agissait tout juste d'une trêve, d'un simple « cessez-le-feu ». Quels que soient leurs torts, ils restaient mes parents, je leur devais le respect. Ma mère, muette, m'embrassa et me fit de la peine tant elle paraissait fatiguée. Quant à mon père, il ne manqua pas de me dire d'un air rusé :

— Faudra pas nous oublier, hein ? Faudra penser à nous.

Et il frotta sous mon nez son pouce contre son index, pour me rappeler par ce geste ce qu'il attendait. Presque malgré moi, je hochai la tête, puis je partis.

Quel voyage ! Mme d'Argental prit le plus grand soin de moi. Le froid mordant et les cahots de la route nous rompaient les reins, mais je restai perchée sur un petit nuage !

Nous étions huit dans le coche, tassés comme des harengs dans un tonneau. La compagnie était étrange : il y avait un prêtre rougeaud et son sacristain, une nourrice à l'imposante poitrine, un étudiant fort timide, un vieux gentilhomme plongé dans ses lectures, et son valet. Comme nous n'avions pas grand-chose en commun, nous ne parlions guère. Douze jours plus tard[1], nous restions toujours des inconnus les uns pour les autres !

En revanche, à chaque étape, mon chaperon me parlait de mon tuteur. Elle me le décrivait âgé, original, droit et honnête, mais aussi roublard, cabotin et, plus que tout, bon vivant et d'une drôlerie contagieuse. Tout cela faisait un étonnant mélange fort plaisant.

— Vous l'aimerez, m'assura-t-elle en riant. Quant à lui et à Mme Denis, sa nièce, ils vous aiment déjà. M. Titon et M. Le Brun leur ont peint de vous le plus

---

1. Le coche ne parcourait que six à sept lieues par jour, soit entre vingt-cinq et trente kilomètres, d'où la lenteur et la longueur du voyage.

charmant des tableaux. Cela démange Voltaire de s'occuper de vous. Il rêve de vous former, de vous instruire. Il n'a jamais eu d'enfant, et voilà que vous lui tombez du ciel !

Un matin, alors que nous allions quitter Tournus, j'osais demander avec inquiétude :

— Et Mme Denis, la nièce de M. de Voltaire ?

Mme d'Argental ébaucha un sourire mystérieux.

— Mme Denis ? Elle est veuve. Elle a perdu son mari fort jeune. Elle est plutôt cultivée et très coquette. Mme Denis dirige la maison de son oncle depuis près de dix ans. C'est une aimable femme, quoiqu'un peu peste, hélas… Soyez gentille avec elle, elle le sera avec vous.

Mon chaperon se tut. Un jeune homme de belle prestance venait de monter et cherchait vainement une place. Nous étions déjà si tassés ! Chacun se fit un devoir de regarder ailleurs, hormis moi qui me serrai contre Mme d'Argental pour lui laisser un bout de banquette. Il se casa comme il put, son tricorne à la main, car la nourrice, ma voisine, ne bougea pas d'un pouce.

Lorsque l'attelage s'ébranla, il s'excusa :

— Vous devrez supporter ma présence jusqu'à ce soir. Je tâcherai de me faire le plus petit possible.

J'approuvai d'un mouvement de tête. Depuis notre départ de Paris, le silence était de mise dans notre voiture. Il parut ne pas s'en rendre compte et poursuivit galamment :

— Je suis ravi de voyager en si bonne compagnie.

Il devait avoir vingt ans, des cheveux bruns attachés sur la nuque par un ruban de velours et un sourire cordial que je ne voyais, hélas, que de profil. Son justaucorps était coupé dans un très bon tissu. Malgré le mauvais temps, ses bottes de cuir n'avaient pas une tache de boue. Quant à ses mains, elles ne pouvaient appartenir qu'à un monsieur qui ne les utilisait pas : c'était donc un gentilhomme.

Le seul que je connus, âgé de moins de trente ans, était M. Le Brun, ce poète poudré et maniéré, qui ne pouvait dire quatre mots sans en faire des vers de mirliton. En revanche, le jeune homme assis près de moi, lui, était vraiment charmant. Pour la première fois de ma vie, je ne sais pourquoi, j'avais envie de plaire.

— Venez-vous de Paris ? demanda-t-il en se tournant vers moi, ce qui me permit de voir ses yeux gris.

— Oui, répondis-je après un bref regard à ma voisine.

En fait, j'ignorais s'il était correct de discuter avec un inconnu. Nous n'avions pas été présentés. Cependant, Mme d'Argental avait flairé un de ses semblables ; elle s'empressa de répondre à son tour, d'un ton mondain :

— Oui, nous supportons cette incommodité depuis douze jours. Mais, comme vous le faisiez remarquer, nous sommes en bonne compagnie. Et vous-même ? D'où venez-vous ?

Le jeune homme ne se fit pas prier pour expliquer.

— De Picardie. J'y séjournai chez des amis. Puis, je me suis arrêté chez des cousins à Tournus. Ce soir, je suis attendu près de Mâcon. Et je descends dès demain vers la frontière genevoise où je possède quelques terres.

Il n'y avait rien d'affecté dans ses manières, aucune vantardise. J'en fus heureuse.

— Oh, fis-je, impressionnée. Vous possédez des terres ?

— Oui. Mais, je ne les gère pas moi-même. Je suis dans l'armée. Je sors de dix mois de campagne en Westphalie. Nous avons pris nos quartiers d'hiver jusqu'au printemps[2]. J'en profite pour voyager. Je suis cornette, mademoiselle.

Je savais peu de choses de la guerre et j'ignorais ce qu'était un cornette[3]. J'imaginais, je ne sais pourquoi, qu'il s'agissait d'un grade élevé dans la hiérarchie militaire. Pensant me faire bien voir, je répondis :

— Vous êtes si jeune, et déjà… cornette ?

Mon voisin eut l'air surpris. Mes mots le firent sourire. Il se contenta de répliquer, une main sur le cœur :

— Mademoiselle, sachez qu'« aux âmes bien nées, la valeur n'attend point le nombre des années… »

Mme d'Argental se mit à rire, sa main gantée devant sa bouche, en un geste élégant. Naturellement, je ne

---

2. La France était en pleine guerre de Sept Ans. La campagne de 1760 fut si éprouvante que les combats cessèrent de novembre 1760 à juin 1761. La Westphalie est une province allemande, qui appartenait alors au royaume de Prusse.

3. Sous-officier qui portait l'étendard d'un régiment.

compris pas pourquoi elle trouvait cette phrase si drôle. Tout du moins, jusqu'à ce qu'elle demande :

— Vous aimez donc Corneille, monsieur ?

— J'aime beaucoup Corneille, madame, fit mon voisin.

Je sursautai. Entendre prononcer son propre nom ainsi, au fond d'un coche brinquebalant et surpeuplé ! Il me jeta un regard, étonné par ma réaction.

— J'adore le théâtre, ajouta-t-il plus bas en lorgnant le prêtre. Et surtout Corneille. Ah, *Le Cid*... Bien sûr, aimer le théâtre est un peu futile...

— Non point, renchérit mon chaperon avec bonne humeur. Nous avons cette passion en commun. Parlons donc de théâtre. Corneille restera entre nous.

Ce fut à moi de rire ! Moi, la petite Corneille, qui était assise entre eux.

Quelle journée merveilleuse ! Le midi, nous mangeâmes ensemble à l'étape, au relais de poste. À vrai dire, je parlai peu, par peur de paraître trop sotte. Je laissai Mme d'Argental discuter, tout en lui enviant son aisance à si bien converser. Elle, s'amusait fort de la situation et nous épiait l'un et l'autre pour voir nos réactions.

Lorsque ce gentilhomme nous quitta le soir, trop tôt à mon goût, elle me confia dans le silence de notre chambre :

— Je suis prête à parier que vous plairez beaucoup, mademoiselle. Vous êtes pleine de charme et vous faites votre petit effet, même la bouche close. Inutile pour vous de jouer les coquettes, votre gaieté et votre fraîcheur sont vos meilleurs atouts. Voyez ce jeune cornette… Il n'a su y résister et vous mangeait des yeux. Mais il faut dire qu'il adore Corneille ! pouffa-t-elle ensuite.

J'en soupirai d'aise. Moi qui craignais tant que l'on ne m'aimât pas ! Je m'endormis ce soir-là en regrettant de ne pas connaître le nom de notre aimable compagnon de voyage. Et dire qu'il ne m'avait pas même demandé le mien !

Oserai-je l'avouer ? Son souvenir accompagne toujours mes rêves aujourd'hui.

Mme d'Argental me laissa à Lyon deux jours plus tard, aux bons soins du banquier de M. de Voltaire. Une voiture du philosophe vint me chercher pour me mener à Ferney.

Les plus belles années de ma vie commencèrent alors.

9

J'avais pour ainsi dire gagné à la loterie et je m'apprêtais à présent à vivre dans un château...

Car il s'agissait d'un vrai château, comme dans les contes. On y entrait par un grand porche qui ressemblait à un pont-levis. Le mur d'enceinte, avec ses quatre tourelles rondes moyenâgeuses, était impressionnant. À l'intérieur, le jardin couvert de neige me sembla immense. Au milieu se trouvait un joli manoir construit récemment, en belle pierre blanche.

Lorsque la voiture s'arrêta devant le perron, j'eus à peine le temps de descendre qu'une espèce de petit vieillard ridicule passait la porte, bras ouverts pour m'accueillir. Il était coiffé d'une longue perruque grise comme on n'en portait plus depuis trente ans, encore surmontée d'un bonnet de velours. Il avait un nez et un menton étonnamment pointus et, entre les deux, une bouche aux lèvres minces, rieuse et édentée.

Quant à ses yeux... Ah ses yeux ! Des prunelles claires de lutin, vives, brillantes.

— La voilà ! s'écria-t-il. C'est elle ! Mais oui, c'est notre Rodogune !

Rodogune ? m'étonnai-je. N'était-ce pas le nom de cette tragédie de Corneille que la Comédie-Française avait jouée pour nous ?

— Ma chère Rodogune ! reprit-il.

Et il me serra dans ses bras sans plus de façon, me tapa dans le dos, et m'embrassa sur les deux joues.

— Bonjour, monsieur, balbutiai-je timidement.

J'aperçus alors, par-dessus son épaule, une petite femme dans la quarantaine, plutôt ronde. Elle n'était pas vraiment belle, mais fort bien mise à la mode de Paris.

— Avez-vous vu, ma nièce, lui déclara le vieux lutin en me poussant vers elle, ne dirait-on pas Chimène ?

J'ignorai qui était cette Chimène à qui il me comparait, et je n'osai le demander, pensant à une cousine ou à quelque connaissance du voisinage.

— Chimène ? répondit Mme Denis sans conviction. Il est vrai que mademoiselle est brune comme une Espagnole. Rentrons, mon oncle, vous allez attraper la mort !

Je m'empressai de faire une petite révérence, mais la dame m'embrassa elle aussi, afin de ne pas être de reste :

— Bienvenue, mademoiselle Corneille.

Mme Denis m'observait, avec une moue au coin de la bouche qui me laissait entendre que je n'étais pas si bienvenue que cela.

Entre l'exubérance de l'un et la demi-hostilité de l'autre, je ne savais que dire et d'ailleurs je ne dis rien, au risque de passer pour une stupide petite personne.

— La pauvrette ! lança Voltaire. Voyez, elle est si timide qu'elle n'ose parler. Rentrons. « Maman Denis » va vous montrer votre chambre.

« Maman Denis » lui fit les gros yeux, mais elle finit tout de même par esquisser un sourire.

Elle me mena à une pièce aussi grande que le logis de mes parents, à Paris. Une jeune servante en tablier gris et coiffe blanche accourut pour m'enlever mon manteau. Comme j'ignorais ce qu'elle voulait, je m'écartai pour l'éviter, ce qui fit glousser la nièce de Voltaire :

— Voici Agathe, me dit-elle. Elle est à votre service. Elle va vous aider à vous changer. Ensuite, elle vous montrera où nous soupons.

Une domestique, rien que pour moi ? La chose me parut incroyable ! Une fois la dame sortie, Agathe m'attrapa par l'épaule pour ôter ma cape.

— Allons, mademoiselle, me dit-elle d'un ton confiant. Laissez-moi faire et ne vous inquiétez de rien.

Elle devait avoir mon âge. Blonde, rose et bien en chair, elle possédait de beaux yeux bleus et un grand sourire sincère qui m'alla droit au cœur.

— J'ai jamais été servie, Agathe, lui avouai-je. Ça me fait tout drôle…

— Vous vous y habituerez, mademoiselle, répliqua-t-elle en riant franchement de tant d'innocence. Moi, je suis très heureuse d'être à votre service. Le maître ne parle que de vous depuis des jours. Mais vous êtes toute chiffonnée ! ajouta-t-elle en regardant mes vêtements. Nous allons arranger ça.

Elle sortit une toilette de velours vert d'une armoire et me traîna ensuite derrière un paravent pour me dévêtir.

— Mme Denis l'a commandée pour vous à son tailleur. Elle vous fera faire une nouvelle garde-robe. Elle a très bon goût, vous verrez.

— Elle ne m'aime guère.

Je ne sais comment ces mots étaient sortis de ma bouche. Sans doute les avais-je prononcés à force de les penser trop fort. Les doigts d'Agathe s'immobilisèrent un instant.

— Non, mademoiselle, ce n'est point cela. Si je puis me permettre, me glissa-t-elle tout en continuant à me déshabiller, Mme Denis est un peu inquiète. Elle est la maîtresse de la maison de son oncle depuis des années, et voilà qu'arrive une jeune fille…

Puis, pensant sans doute avoir trop parlé, elle m'expliqua :

— Ils ont tous l'air un peu bizarre, ici, mais ce sont de bien braves gens. Savez-vous ce que me dit Monsieur chaque matin, lorsque je lui porte son café ? « Belle Agathe, vous charmez tous les yeux ! » Et c'est par pure gentillesse. N'allez pas croire qu'il y ait un sous-entendu ! C'est un bon maître, notre M. de Voltaire.

Elle avait raison, le souper me le prouva. Je me retrouvai face à une huitaine de convives que l'on me présenta et dont je m'empressai d'oublier les noms : j'étais terrorisée à l'idée de commettre un impair et j'en commis, naturellement.

Au couvent, j'avais pris l'habitude d'imiter mon amie Clarisse. Je décidai de continuer ici, et de calquer mon attitude sur celle de notre maîtresse de maison. Le potage ne me posa pas de problème. En revanche, le poisson qui suivit m'occupa un bon moment. Je n'arrivai pas à me servir des couverts pour le découper et en ôter les arêtes.

Je devais avoir l'air désespéré, car le laquais en livrée debout derrière M. de Voltaire, sans doute pris de pitié, se mit à me faire des gestes pour m'expliquer comment opérer. Ensuite vint un ragoût, fort simple à manger, et je commençai à me détendre.

Une agréable conversation roulait sur les nouvelles de Paris, que mon tuteur émaillait de plaisanteries. Cela faisait la joie des convives. Par un étrange miracle, M. de Voltaire qui, à mon arrivée, avait les gencives lisses, avait à présent des dents. Il portait donc un dentier ? Il mangeait de bel appétit tout en me jaugeant du coin de l'œil.

— Ah non, s'indigna sa nièce en le voyant remplir son assiette. Point de ragoût, le médecin vous l'a interdit.

Mais le vieux se contenta de plaisanter :

— Il faut bien mourir de quelque chose.

— Demain, vous rirez moins ! Ah, ne venez pas vous plaindre si vos intestins vous dérangent !

— Vous adorez cela, que je me plaigne. Ainsi, je me trouve à votre merci.

J'aimais les voir se chamailler, ils étaient aussi dissemblables que possible ! Mais aussi, étrangement complices. J'en souris, ce qui fit sourire également M. de Voltaire.

— Eh bien, Chimène, me demanda-t-il, que pensez-vous de ce premier repas avec votre nouvelle famille ?

L'excellent ragoût m'étouffa tout à coup. Je me mis à tousser, sans parvenir à trouver ma serviette qui avait glissé à terre. Mon voisin de gauche, un curé, me la ramassa aussitôt. J'étais rouge, gênée, en un mot, ridicule.

Mon voisin de droite, le secrétaire de mon tuteur, me tapa obligeamment dans le dos. Seulement, il tapa si fort que j'en bousculai mon assiette qui alla renverser mon verre. Les couverts de vermeil me tombèrent des mains, tandis que le vin coulait sur la nappe. Je suffoquai, le nez dans ma serviette, avec l'envie de disparaître sous la table !

— Bon sang ! se mit à hurler M. de Voltaire au laquais qui épongeait le vin. Apportez-lui vite de l'eau !

Je sursautais de plus belle ! J'appris par la suite qu'il avait cette fâcheuse habitude de crier après le personnel. Les domestiques, depuis longtemps, n'en faisaient plus cas, pas plus que les habitués. Cependant, j'en fus quant à moi si surprise que ma toux s'arrêta comme par miracle.

Lorsque je sortis le visage de ma serviette, je me retrouvai face à huit paires d'yeux qui m'observaient, et en dessous, des bouches ouvertes d'étonnement. Le laquais se tenait à mon côté avec un verre d'eau. Après en avoir bu quelques gorgées, j'eus enfin le courage de parler :

— Le... Le dîner est fort bon, monsieur de Voltaire.

Ah, la phrase stupide ! Je m'en voulus aussitôt de ce manque d'esprit, et je rougis encore un peu plus. Mon tuteur me jugeait sans aucun doute nigaude, mais il sembla aussi tout attendri par ma timidité. Il sourit de toutes ses fausses dents et tenta de me mettre à l'aise :

— Que pensez-vous du théâtre, Rodogune ?

J'avais envie de fuir ! Mais je ne pouvais vivre dans la maison de ce monsieur en le fuyant toujours. Je pris une respiration et j'expliquai en m'appliquant :

— Je n'y suis allée qu'une fois, le jour où les tragédiens de la Comédie-Française ont eu la bonté d'aider ma famille. Je vous mentirai en vous disant que j'ai aimé la représentation car, à vrai dire, j'n'en ai pas compris un traître mot.

Je le regardai et vis sur son visage une certaine satisfaction.

— Eh bien tant mieux ! Ainsi, je vous apprendrai à l'aimer. Je possède un petit théâtre qui fait la joie de mes voisins. Nous y donnons des pièces. Ma nièce en est la perle rare et je ne rechigne pas, moi-même, à monter sur les planches. Nous vous embaucherons. Quoi de plus beau que de débuter avec les œuvres magnifiques de votre auguste ancêtre. Nous commencerons par...

— Halte là ! l'interrompit Mme Denis d'un geste martial. Cette demoiselle doit d'abord s'installer. Nous allons la vêtir convenablement, puis lui donner une éducation. Le plaisir viendra ensuite.

Voltaire hocha du bonnet d'un air faussement mécontent :

— Depuis quand ne peut-on apprendre en s'amusant ?

Puis il se tourna vers moi :

— Au couvent, que vous a-t-on enseigné ?

Je repensai à Clarisse et répondis en souriant :

— Pas grand-chose, je le crains. Ah mais si... Je connais la liste des empereurs de Rome et les rois de France. Et la carte du royaume avec tous ses évêchés.

— Voilà qui vous sera fort utile ! persifla Voltaire. Mais les couvents sont faits pour ça, pour ne rien apprendre aux jeunes filles. Et cela tombe bien, car la plupart des messieurs préfèrent les épouses bien sottes qui leur sont toutes dévouées. Moi, non. J'aime les femmes qui ont du caractère, et qui disent ce qu'elles pensent.

Il me regarda et me promit avec gentillesse :

— Rodogune, nous allons remédier à votre misérable instruction. Je gage que, dans un an, vous jouerez les pièces du grand Corneille en les appréciant.

On nous servit ensuite une crème en guise de dessert. Je l'avalai de bon cœur, l'esprit enfin en repos. J'avais réussi à répondre à M. de Voltaire et il semblait content de moi.

Le repas fut suivi par une agréable soirée. Mme Denis se mit au clavecin. Elle jouait très bien et, pendant un instant, je me pris à rêver qu'elle pouvait me l'enseigner.

Je regardai le grand salon, ses élégantes moulures de plâtre, ses miroirs, ses tableaux et ses meubles cossus. Quel bel endroit ! Un bon feu ronflait. Devant, le curé avait entrepris une partie d'échecs avec le maître des lieux.

Je m'installai moi aussi près de l'âtre. Était-ce la chaleur ou la musique ? Je me mis à bâiller. Le secrétaire vint me rejoindre. C'était un jeune homme brun, grand et bien fait, âgé d'à peine vingt ans[1].

— Votre journée a été longue, me dit-il aimablement. Prenez congé, personne ne vous en voudra.

J'acquiesçai mais je n'osai le faire. Comme il restait près de moi, je me sentis obligée de lui parler. Je lui lançai alors la première phrase qui me vint à l'esprit.

---

1. Jean-Louis Wagnière entra au service de Voltaire comme valet de chambre à quinze ans. Le philosophe, qui l'appréciait, le forma lui-même, à l'âge de seize ans, au métier de secrétaire. Wagnière resta le secrétaire et l'ami de Voltaire jusqu'à la mort de ce dernier.

— Je croyais que M. de Voltaire n'aimait pas les gens d'Église, lui glissai-je en lui montrant notre hôte.

Le jeune homme se mit à rire, ce qui me fit supposer que j'avais dit une bêtise. Il se reprit en voyant mon air gêné :

— Vous avez raison, il les méprise. Il appelle même l'Église « l'Infâme » ! Mais le père Adam[2]… comment dire… C'est son bouffon préféré, son ami, son repoussoir… et un excellent joueur d'échecs.

Notre hôte adore ce jeu, même s'il déteste perdre. Espérons qu'il gagne. Cela nous évitera une scène digne de la *commedia dell'arte*.

Je ne compris pas l'allusion, et je lui souris à tout hasard d'un air fatigué. Mon compagnon eut pitié de moi, il se tourna vers mon tuteur pour lui parler, mais nous entendîmes alors un curieux :

— Tour lou tou tou…

C'était M. de Voltaire qui chantonnait. Il regardait d'un œil noir le père Adam, puis le damier, puis de nouveau le père Adam. Le curé, lui, hilare, avança un autre pion :

— Hé hé hé, je vous ai eu. Échec et mat.

— Tour lou tou tou…

— Allons, monsieur, soyez beau joueur, s'inquiéta le prêtre en se collant prudemment au dossier de sa chaise.

---

2. Antoine Adam vivait au couvent d'Ornex, près de Ferney. Il avait rencontré Voltaire dès 1754 et lui servait de copiste, d'archiviste et de partenaire aux échecs. En mars 1763, le couvent ferma. Le père Adam s'installa alors au château, dont il devint le chapelain.

La suite fut incroyable. Le vieux Voltaire se leva comme un diablotin sortant de sa boîte. Il attrapa les pièces du jeu et se mit à en bombarder le père Adam !

— Vous avez triché ! l'accusa-t-il.

— Mais non, je suis meilleur joueur que vous, c'est tout.

Un cavalier, deux tours et un fou s'enfoncèrent dans la perruque grise du père Adam qui décida de trouver le salut dans la fuite ! Il quitta le salon en courant !

— À mort l'Infâme ! hurla Voltaire qui continuait à lui jeter les pions.

« L'Infâme », me rappelai-je, était le surnom peu flatteur que le philosophe donnait à l'Église. Cela me semblait quelque peu choquant, mais je n'en pipai mot. D'ailleurs, autour de moi, les convives riaient comme à une bonne plaisanterie.

Le secrétaire décida enfin de s'interposer :

— Votre Rodogune bâille, monsieur.

Le vieillard s'arrêta aussitôt. Il se tourna vers moi, calme tout à coup, puis il s'excusa, comme si de rien n'était :

— Pauvre enfant ! Je suis confus de ne pas l'avoir remarqué. Retirez-vous, mademoiselle. Reposez-vous bien. Demain, nous commencerons votre éducation.

Je me couchai ce soir-là dans un bon lit, doux et chaud.

— On se croirait aux Petites-Maisons[3], avouai-je à Agathe qui pouffait tout en mouchant ma chandelle. Bon sang ! Il est un peu fou, non ?

Cela ne m'empêcha pas de m'endormir comme un ange.

3. Nom donné à un asile parisien où l'on enfermait les aliénés.

10

— C'est bien pire que ce que je croyais, déchanta mon tuteur dès le lendemain.

Il se tourna vers sa nièce, qui affichait un air aussi déçu que le sien, et poursuivit :

— Elle ne sait même pas faire une ligne en écrivant droit. Et que de fautes. Elle lit comme un enfant de six ans… C'est incroyable !

Pendant un instant je me crus revenue au couvent. J'avais encore en tête les mots cruels de sœur Euzébie : « Vous n'êtes bonne à rien, mademoiselle. Pire, vous êtes mauvaise à tout ! »

J'allais sûrement me faire renvoyer. L'idée de retourner chez M. Titon me vint à l'esprit. Mais… Comment payer mon voyage pour Paris ? Je me mordais les lèvres en regardant au sol, lorsque M. de Voltaire reprit à ma grande surprise :

— Voilà qui sera intéressant. Ainsi, comme vous ignorez tout, vous n'aurez pas eu le temps de prendre de mauvaises habitudes. Je vais faire de vous une vraie demoiselle.

Je levai vers lui des yeux noirs effarés. Il me gardait ?

— Vous écrirez chaque jour, me dit-il, un petit mot, un quatrain ou un petit compliment en vers, que nous corrigerons ensemble. Nous vous enseignerons aussi la grammaire…

Il se mit à gesticuler, sa canne à la main :

— C'est fort utile la grammaire. Que dis-je, mieux qu'utile ! La grammaire est pour l'écrivain ce que le violon était pour le grand Lully lorsqu'il composait : un outil indispensable. Ensuite, vous lirez chaque jour quelque beau texte de la littérature, et vous nous en raconterez la teneur. Étudier ne sert à rien si l'on n'en tire pas réflexion. Le mieux, pour la réflexion, est de la partager.

Son programme commençait très mal. Je détestais la poésie et la grammaire, quant à la lecture… Bon. Si je voulais rester – et j'en avais envie – il me faudrait faire des efforts, de gros efforts.

— Ensuite, continua mon tuteur. Ensuite nous ferons un peu d'histoire et de géographie. L'histoire n'est qu'un éternel recommencement dont nous devons tirer des leçons. La géographie, elle aussi, est riche d'enseignement. C'est plus qu'un ensemble de cartes, vous le comprendrez vite.

Ce matin, il avait oublié de mettre son dentier, mais pas son bonnet vert bien laid par-dessus sa perruque longue bien laide. Il portait un justaucorps rouille et une culotte d'un gris triste, eux aussi parfaitement laids, ainsi que des bas en accordéon. Pourtant, il rayonnait de gaieté ! Quant à moi, je m'empressais de répondre sérieusement :

— Bien sûr, monsieur. Je lirai et j'apprendrai la grammaire, l'histoire et la géographie.

Il gratta son menton pointu et me sourit.

— L'après-midi, vous participerez à des activités avec ma nièce. De la danse, de la musique… « Maman Denis » peint fort bien. Elle vous donnera des leçons de dessin et de broderie.

Je serrai les dents et souris bravement en regardant la grosse dame. Encore de la broderie ! Je tentai à tout hasard :

— Pourquoi pas du tricot ? C'est très utile en cette saison, le tricot.

Mais elle pinça les lèvres et rétorqua :

— Quelle drôle d'idée ! Non, le petit point calme les nerfs, nous broderons.

Eh bien, tant pis pour elle ! Mme Denis verrait bien assez tôt dans quel état le petit point mettait mes nerfs… et mettrait les siens ! Mais voilà qu'elle me fixait et me demandait :

— Que pratiquiez-vous donc comme activités chez vos parents ? Pas du tricot tout de même !

À quoi s'attendait-elle ? La mauvaise humeur me monta au nez. Dans son milieu, les jeunes filles s'adonnaient sûrement au point de croix. Dans le mien, elles avaient d'autres choses à faire. Je le lui expliquai sans détour, le menton haut :

— Chez mes parents, madame, je tressais des paniers d'osier. Je travaille depuis l'âge de six ans. Et quand je ne vannais pas, je faisais le ménage, la cuisine et le raccommodage pour aider ma mère.

Mme Denis en devint toute rouge. De honte, remarquai-je, point de colère. Elle me répondit toute confuse :

— Excusez-moi, mademoiselle. J'oubliai que la vie ne vous a pas gâtée jusqu'ici. Nous tâcherons de vous la rendre plus douce.

M. de Voltaire soupira. Il marmonna des mots incompréhensibles, puis il se tourna vers la fenêtre avant de reprendre d'un air plus gai :

— Dès qu'il fera meilleur, nous nous promènerons. Je vous mènerai aux champs. Nous irons voir mes paysans. J'adore mes paysans. Comme vous, ils ont été fort malheureux par le passé. Depuis que je suis leur nouveau seigneur, je fais tout pour leur rendre dignité et bonheur. Mais revenons à votre éducation de demoiselle des Lumières.

Lumières… Je me rappelai brusquement ce mot, Clarisse y mettait une majuscule. C'était ce mouvement de philosophie qui prônait la liberté de penser. M. de Voltaire voulait donc que je sois libre et que j'apprenne à réfléchir ? Au fond de moi, j'en fus ravie… malgré les vers, la grammaire et le petit point.

Il se mit en marche sur ses jambes maigres, les genoux un peu pliés, et me mena à une espèce de bureau. La pièce était emplie de livres. Jamais de ma vie je n'en avais vu autant, même chez mon cher vieux Titon qui, pourtant, les adorait. Il y en avait au moins un millier !

Mon tuteur parcourut quelques étagères en émettant un étrange « tut tut tut tut… » qui me rappela sa colère de la veille contre le père Adam. Je m'attendais à tout moment à être bombardée à coups de livres. Mais il n'en fut rien. Il s'arrêta sur un « ah ! » et sortit un ouvrage d'un rayon :

— *Le Cid*, m'annonça-t-il. Le chef-d'œuvre de votre presque ancêtre. Faites-moi plaisir, Chimène, lisez-le.

Je le pris, à plat sur mes deux mains ouvertes, avec le plus grand respect.

— Merci, monsieur, lui dis-je gravement. Je vous promets que vous n'aurez point affaire à une ingrate.

— Je me moque bien de votre gratitude, Chimène. Offrez-moi plutôt des résultats !

Le Cid ? pensai-je. N'était-ce pas le livre préféré de mon aimable compagnon de voyage ? Le beau cornette aux yeux gris ? Je regardai alors la reliure de cuir vert d'un autre œil, avec moins de respect, mais plus d'envie.

Ce soir-là, je me mis au lit, parcourue de frissons de joie. Je caressai la couverture du *Cid*. Puis, je l'ouvris bien en face de ma chandelle.

Émerveillée, je lus toute la première page en en

comprenant chaque phrase… Quel miracle ! J'étais une vraie Corneille, les mots du cousin Pierre résonnaient en moi :

« Elvire, m'as-tu fait un rapport bien sincère ?
Ne déguises-tu rien de ce qu'a dit mon père ?… »

Celle qui parlait était Chimène. Chimène ! C'était le surnom que me donnait M. de Voltaire. J'allais enfin savoir à qui il me comparait.

Hélas, les choses se compliquèrent dès la seconde page. Il y avait une tirade longue de soixante vers ! Ah, l'horreur ! Ah, le charabia ! Ah, le pensum ! Au bout de quarante lignes, j'ânonnais tout haut :

— « …Je me promets du fils que j'ai vu du père ;
Et ma fille, en un mot, peut l'aimer et me plaire.
Il allait au conseil dont l'heure qui pressait… »

Bon sang ! De quoi elle parle, cette Chimène ?

La porte s'ouvrit sur Agathe. Elle m'amenait, sur un plateau, une tasse de chocolat.

— Vous êtes trop gentille, lui glissai-je alors qu'elle arrangeait mes oreillers. J'ai tellement de chance d'être ici.

Cela la fit sourire. Elle s'assit sans façon sur le bord de mon lit et se mit à remuer le chocolat :

— C'est vous qui êtes gentille, mademoiselle. Les autres domestiques et moi, nous sommes bien aises de voir que vous n'êtes point bégueule…, si je puis me permettre, ajouta-t-elle en baissant ses beaux yeux bleus. Buvez vite pendant que c'est chaud, cela vous aidera à dormir.

— Dis-moi, Agathe, tentai-je en la tutoyant. C'est donc vrai que l'on joue au théâtre ici ?

La femme de chambre hocha la tête, ravie.

— Vrai de vrai ! Je vous mènerai voir la salle. Moi-même, j'ai souvent de petits rôles. M. de Voltaire embauche tout le monde, même les jardiniers ! Son actrice préférée, c'est Mme Denis. Elle n'en a pas l'air, comme cela, mais c'est une grande comédienne. Elle joue les premiers rôles féminins. Vous, vous serez superbe en jeune ingénue.

Je plongeai le nez dans mon chocolat sans répondre. Dans un creux de la courtepointe[1] se cachait *Le Cid*. J'imaginai déjà avec horreur M. de Voltaire m'obliger à apprendre par cœur cette horrible tambouille bien indigeste.

Je devais avoir l'air angoissé, car Agathe me tapota familièrement le genou et m'expliqua :

— Allez, ne vous inquiétez pas. Vous commencerez par faire de la figuration, puis vous direz quelques mots et ensuite, quand vous vous sentirez à l'aise, M. de Voltaire vous donnera de plus grands rôles. Monsieur fait ainsi avec tous ses invités. Vous trouverez cela très drôle.

— Mais, le théâtre, n'est-ce point une invention du... Diable ?

---

1. Couverture, dessus-de-lit.

Agathe éclata de rire, avant de se reprendre :

— Ma foi, vous parlez comme un vrai pasteur protestant ! Vous êtes donc comme les huguenots genevois,
à craindre tout ce qui donne du plaisir à l'âme ?

— Le curé a affirmé à ma mère...

Elle me coupa la parole d'un geste de la main :

— Voyons, il n'y a pas de mal à déclamer de beaux
textes. Ce n'est pas comme si on vous demandait de
montrer votre derrière !

Je me mis à rire à mon tour. Seigneur ! Que dirait
ma pauvre mère si M. de Voltaire me demandait de
montrer mon derrière sur une scène ? Je rendis ma
tasse vide à Agathe et m'enfonçai avec délice dans
mes oreillers, le cœur léger.

— Dormez bien, me dit-elle en soufflant ma chandelle.

— Tu as raison, il faut que je me repose. Demain,
j'ai grammaire.

— Demain, vous étudierez fort peu. Le tailleur
vient, lança gaiement Agathe. Mme Denis va vous
faire coudre de belles robes ! Bonne nuit.

Elle sortit dans un frou-frou, le plateau à la main.
Comme je me retournais dans le lit, j'entendis le bruit
du *Cid* qui tombait sur le parquet. Le chef-d'œuvre
de mon presque ancêtre...

— Eh ben, il ne descendra pas plus bas.

Sur cette pensée profonde, je m'endormis en son-
geant à mon cornette aux yeux gris. Il me susurrait :
« J'adore Corneille... », mais c'est moi qu'il regardait.

11

Un mois avait passé. *Le Cid* avait rejoint le « Jean-Jacques » de Clarisse tout au fond de mon armoire.

Que dire… Ce pauvre M. de Voltaire semblait anéanti par mes manques de progrès. Pourtant, je faisais des efforts, lui-même le reconnaissait. Mais je n'étais pas à la hauteur de ses espérances. Et de loin.

Un matin qu'il me demandait la définition du mot « coquecigrue », je lui répondis en pouffant : « C'est pas une sorte de bête ? » Cela le mit en fureur ! Il sortit de la pièce à grands pas en faisant des moulinets avec sa canne ! Sa nièce le rattrapa, et j'entendis mon tuteur lui dire, tout fort :

— Ne pourrait-on lui trouver un précepteur aux nerfs solides, qui saurait lui donner des leçons à notre place ? Je ne lui demanderais même pas d'en faire une savante, juste de lui apprendre à écrire droit !

— Vous exagérez ! Elle est charmante, cette petite. Elle ne réclame jamais rien et se contente de peu.

— Charmante, je vous l'accorde, reconnut-il. Gaie, vive, gentille, attentionnée. Tout le monde l'adore. Mais je n'ai jamais vu personne de si obtus ! Et puis, elle parle si mal !

J'en eus le souffle coupé et les larmes me montèrent aux yeux. Mme Denis prit aussitôt ma défense :

— Vous discutez avec elle comme vous le feriez avec un académicien ! Qu'en a-t-elle à faire des coque-cigrues et des alexandrins ! Souvenez-vous donc d'où elle sort. Il y a encore un an, elle tressait des paniers !

J'entendis Voltaire bougonner. Mme Denis tenta :

— J'ai déjà commencé à lui enseigner à se tenir en société et j'ai bon espoir. Elle est pleine de bonne volonté.

Brave « Maman Denis » ! Mais M. de Voltaire s'exclama :

— Non ! C'est assez ! Je vais écrire à nos amis, les d'Argental, afin qu'ils nous trouvent quelqu'un de pas trop cher… Il faut dire que vous me ruinez en vaisselle d'argent et en toilettes !

— Dieu que vous êtes avare, riposta sa nièce d'un air pincé. Vous recevez vos hôtes tel un seigneur, mais ne voulez payer…

Je m'éloignais à grands pas, les mains sur les oreilles, pour ne plus les entendre. L'argent était un de leurs sujets de dispute préférés. Voltaire était riche, et même très riche. Cependant, la construction de son château et l'entretien de ses terres lui coûtaient une fortune. Et je me doutais que recevoir jusqu'à vingt personnes chaque jour à sa table devait sérieusement entamer son budget. Moi qui, effectivement, tressais des paniers il y a encore un an, rencontrais à présent des ducs et les plus beaux esprits de notre siècle.

J'entendis des pas derrière moi.

— Mademoiselle ! me souffla Agathe. Attendez !

Elle me pressa familièrement l'épaule, comme on tente de réconforter un enfant malheureux :

— Ne l'écoutez pas, il n'en pense pas un mot.

— Tu as tout entendu ?

— Oui, j'apportais du café à monsieur. Ne vous inquiétez pas, il crie et s'enflamme promptement, mais oublie sa rancœur tout aussi vite. Venez… Nous avons reçu vos dernières robes. Il y en a une de bal, une merveille rose à panier avec des volants, digne d'une princesse. Vous allez l'adorer.

Je la suivis tête basse.

— Souriez, que diable ! reprit-elle. Mme Denis vous aime comme sa fille. Regardez tous ces beaux cadeaux qu'elle vous offre, des robes, des bibelots, du parfum.

J'approuvai de la tête, morose. Effectivement, j'étais vêtue d'une jupe au bouffant délicat, de velours et de taffetas. Le coiffeur de « Maman Denis » avait relevé ma tignasse brune en chignon avec une grosse boucle qui retombait sur mon épaule. Autour de mon cou, un ruban fermé par un cœur d'argent me faisait un ravissant collier de chien. Je ressemblais à une vraie

98

demoiselle. Mais, pour y croire, il eût fallu que je n'ouvrisse pas la bouche. Jamais.

Le bruit de la canne de mon tuteur résonna dans le couloir, à quelques pas derrière nous. Je me retournai vivement.

J'allais être renvoyée, j'en étais sûre. Alors je pris les devants d'un air fier :

— Et voilà, la belle aventure est finie. Je savais bien que j'y arriverais pas ! Vous pensez me faire écrire en vers, alors que j'suis tout juste capable de former mes lettres ! Voulez-vous que je vous dise ? ajoutai-je en pleurant, je déteste la poésie ! Et les écrits de Mme de La Fayette, les satires de Boileau... J'y... j'y comprends rien ! Vous croyez quoi donc ? Que d'un âne comme moi on peut faire un cheval de course ?

Je m'essuyai les yeux du revers de ma manchette de dentelle et fis demi-tour pour m'enfuir. Je refusais d'entendre ces piques cinglantes dont il avait le secret.

— Rodogune ! m'appela-t-il. Excusez-moi, Rodogune. Je suis un barbon qui radote, un pauvre vieux hibou et, quelquefois, j'oublie que...

Je ralentis à contrecœur, et m'arrêtai pour l'écouter. Il s'approcha à petits pas :

— Bref. Vous êtes comme vous êtes. Et si je ne peux emplir votre cervelle de savoir, je vais tâcher, tout de même, de vous apprendre à vous en servir au mieux.

Il me prit le bras et s'appuya sur moi :

— Fini les vers et la littérature. Dorénavant, vous resterez en ma compagnie lorsque je recevrai les visiteurs. Ouvrez vos yeux et vos oreilles, cela suffira pour le moment.

C'était plus que je n'aurais osé espérer ! J'ânonnai :

— Je dirai plus de bêtises, j'vous le promets.

— Je « ne » dirai plus de bêtises, « je » vous le promets, me reprit mon tuteur d'un air calme.

Tandis qu'il m'amenait à la bibliothèque, je répétai la phrase en articulant, heureuse qu'il me garde chez lui. M. Wagnière, son secrétaire, s'y trouvait déjà à l'ouvrage, sa plume à la main. Le jeune homme releva la tête de son écritoire, le temps de me saluer du menton. Fort heureusement, il ne sembla pas remarquer mes yeux rouges.

— Les lettres à M. le duc de Choiseul et au roi du Danemark ? demanda Voltaire.

— Finies, monsieur.

— Et celle à M. d'Alembert ?

— Aussi.

Une voiture s'arrêtait devant le perron. Curieux, M. de Voltaire passa dans la pièce attenante, qui donnait sur l'entrée. Il s'approcha de la fenêtre et se mit à pester :

— Encore ce maudit père Ancian !

Je savais que mon tuteur avait déclaré la guerre à ce curé. Il venait de s'installer au village voisin de Moëns et voulait obliger les habitants à lui verser la dîme[1],

---

1. Taxe en nature ou en argent représentant 10 % des revenus, que les fidèles payaient au prêtre.

avec plusieurs années de rappel. Or, Moëns était dispensé de cette taxe depuis un siècle.

Les villageois, pour la plupart de pauvres paysans, pouvaient tout juste se nourrir, tant ils devaient déjà payer d'impôts au roi. Ils coururent voir leur nouveau seigneur, M. de Voltaire, afin qu'il les défende. Mais mon tuteur ne parvint pas à faire entendre raison au curé. Il décida donc de porter l'affaire en justice.

Wagnière se leva pour aller voir et soupira :

— Ne le recevez pas.

— Ce serait lui faire trop d'honneur, ricana Voltaire. Pour qu'il aille se vanter que j'ai peur de sa soutane.

Ce curé avait encore fait parler de lui voilà quelques jours. C'était un homme dur, qui n'avait rien de commun avec notre père Adam. Ce butor entretenait une liaison avec une veuve. Un de nos villageois tournait autour de la jolie femme, ce que le père Ancian, jaloux, voyait d'un mauvais œil. Un soir, aidé de ses serviteurs, il alla lui casser la tête à coups de bâton afin de garder la veuve pour lui seul.

— Qu'en pensez-vous, Rodogune ?

Je réfléchis à peine avant de répondre :

— Je respecte fort les gens d'Église, mais çui-ci est méprisable. Avoir commerce avec une femme et battre à mort un villageois ! Il faut qu'y paye pour ce crime ! Où est donc la justice si un homme de Dieu peut tuer sans se faire prendre ?

— Voilà qui est parlé !

Il riait de toute sa bouche édentée. Puis il poursuivit, sérieux :

— Enfin… j'aurais préféré que vous disiez « celui-ci », et pas « çui-ci » ; « qu'il », et pas « qu'y ». Et, je vous prie, à l'avenir, de remplacer « sans se faire prendre » par la formule « en toute impunité ».

Je lui répétai la phrase corrigée, et il m'applaudit, comme au théâtre.

— À présent, m'ordonna-t-il, retirez-vous, jeune fille. Je ne voudrais pas que vous entendiez les vilains mots que je vais dire à ce vilain monsieur. Ce serait indigne de votre éducation.

Je sortis sur une courbette, mais je ne partis pas bien loin, curieuse d'écouter malgré tout leur conversation. Le curé de Moëns entra, gonflé d'importance. Il cria à M. de Voltaire de s'occuper de ses affaires, en plus d'autres amabilités telles que « mécréant » et « vermine ». Il lança même une insulte affreuse que j'ose à peine répéter, « fouteur de merde ». M. de Voltaire, en représailles, le traita de « sangsue lubrique », de « parasite inculte », et lui promit un gibet en forme de croix, en l'honneur de Notre Seigneur Jésus, avec une solide corde pour le pendre. Il ajouta qu'il était prêt à la payer de sa poche. Furieux, l'homme partit en hurlant :

— Je suis intouchable, monseigneur l'évêque me soutient !

— Moi, c'est la justice que je soutiens ! Et elle, de son côté, me soutiendra aussi ! Serviteur, monsieur !

Une fois le curé sorti, je courus voir mon tuteur pour le féliciter :

— Bien envoyé ! Vous êtes très courageux, vous osez vous battre contre quelqu'un d'intouchable !

Il était blême de rage sous son affreux bonnet. Mais, après m'avoir entendue, il retrouva quelques couleurs.

— Vous avez écouté, coquine ! Merci pour ce gentil compliment, me dit-il. Vous avez du bon sens et du cœur, Rodogune, j'aime cela. Sachez qu'il faut toujours défendre les faibles contre les puissants. Le rôle d'un honnête homme est de combattre les injustices. Et, plus ce combat est difficile, plus il vaut la peine d'être mené. Je poursuivrai ce maudit père Ancian de ma hargne tant que mes paysans n'auront pas obtenu justice ! ajouta-t-il en tapant du poing sur la table.

Il se redressa, fier de lui, et reprit :

— En fait, on craint autant la force de mes mots que ma richesse. Être riche aide beaucoup quand on veut faire triompher ses idées. Chimène, à propos de réparties… Faites-moi plaisir. À l'avenir, ne dites plus « bien envoyé », mais plutôt « bien répondu ».

J'appliquai aussitôt ses conseils :

Je suis ravie que, grâce à vous, ce curé n'agisse plus… en toute impunité. Vous lui avez si… bien répondu.

— Ma petite Chimène, votre réplique est parfaite. Continuez à me parler ainsi, et vous ferez de moi le plus heureux des hommes.

De ce jour, il me traita avec plus de douceur. Il me donna à lire chaque matin la gazette ou des ouvrages légers, et non de ces poésies pompeuses que je détestais. Ensuite, il me fit écrire de courtes lettres à mes parents, à mon cher vieux Titon ou à mon amie Clarisse, où je m'exprimais librement.

En contrepartie, il ne me passa plus ni fautes de langage, ni gestes inélégants, ce que j'acceptais sans rechigner.

12

Des chicaneries avec les gens d'Église, mon tuteur en avait souvent. Depuis peu, il s'était mis à dos une congrégation de jésuites du voisinage, sous prétexte qu'ils auraient subtilisé l'héritage de six frères gentils-hommes, les Prez de Crassier.

Cette famille avait hypothéqué sa terre. Ne pouvant rembourser leurs dettes, les Prez avaient vu leur domaine saisi au profit des religieux qui leur avaient prêté de l'argent. Les gentilshommes étaient en tort, mais Voltaire prit aussitôt fait et cause pour eux, contre les jésuites.

Il était également devenu la bête noire des pasteurs genevois, qui avaient eu le grand tort de fermer les théâtres, pour cause d'immoralité. En représailles, Voltaire avait décidé d'ouvrir ses propres salles de spectacle, près de la frontière, afin de les narguer. Il en était très fier, car elles ne désemplissaient pas.

— Ces pisse-froid me vouent aux flammes de l'enfer ? ricanait-il. N'est-ce pas drôle ? Leurs femmes et leurs enfants viennent tous dans mes théâtres pour écouter mes vers !

— Vous ne croyez donc pas en Dieu ? lui demandai-je un jour qu'il s'en prenait aussi aux juifs et aux mahométans.

Il se tourna vers moi, tout étonné.

— Je ne sais si Dieu existe… Mais s'il n'existait pas, il faudrait sûrement l'inventer ! lança-t-il en riant. Ne craignez rien, reprit-il plus sérieusement devant mon air offusqué, je ne suis pas contre Dieu. Certains jours, il m'arrive même de croire en lui ! D'ailleurs, ne vais-je pas à la messe avec vous chaque dimanche ?

— Pfff ! La plupart du temps vous cachez dans votre missel le livre d'un de vos amis philosophes et vous faites semblant de prier.

— Ah bon ? s'étonna-t-il en ouvrant de grands yeux. Vous l'aviez remarqué ? Aller à la messe est une perte de temps. Mais, en tant que seigneur[1], et votre tuteur, je me dois de montrer l'exemple.

Il soupira et poursuivit avec force :

— Je n'aime pas les simagrées des curés. Ils détestent le théâtre, mais leurs comédies valent bien les miennes !

---

1. En 1758, Voltaire avait loué à vie le comté de Tournay. En 1759, il fit l'acquisition de la seigneurie toute proche de Ferney. Ses terres comptaient plusieurs villages, qui possédaient l'avantage de se trouver à cheval sur les territoires de France, de Genève et de Savoie.

Il marcha à pas lents jusqu'à la fenêtre avant d'ajouter :

— En fait, bon nombre de problèmes, sur terre, viennent des prêtres. Ils sont persuadés de détenir la vérité, et profitent de leur pouvoir sur les âmes simples pour les opprimer. Partout, dans le monde, on s'entre-tue au nom de Dieu. Si les prêtres se contentaient de dire : « Adorez Dieu et soyez justes ! », il n'y aurait pas de guerre de religion. Et chacun pourrait prier en toute quiétude, sans nuire à son voisin.

Je restais muette devant ces phrases sulfureuses, pourtant pleines de bon sens. Il colla son nez au carreau et se lança dans une nouvelle attaque antireligieuse :

— Regardez cette église, Rodogune…

Il me montra du menton la chapelle non loin du château, juste au bout de notre cour.

— Elle est laide et me cache la vue. Je vais la faire démolir.

Je poussais un cri ! Détruire une église ? Une maison de Dieu ? Était-il fou ? Voltaire sembla ravi de ma frayeur.

— Franchement, persista-t-il en me prenant à témoin, elle est laide. Ne dites pas le contraire.

Comme je n'osais répondre, il insista :

— Et puis elle est vieille… trop petite… lugubre… branlante… Avec un cimetière qui offense la vue… et des cloches qui m'écorchent les oreilles. Allons, Rodogune, s'écria-t-il, une fois détruite, je vous en construirai une neuve, plus loin, et bien plus belle !

Je racontai cette scène peu après à Maman Denis qui déballait ses derniers achats sur son lit. Elle était coquette et dépensière. Elle ne savait pas résister aux jolies toilettes, tout comme elle ne pouvait se passer de confiseries.

Debout devant son miroir, elle essayait un déshabillé de mousseline rose. Elle ébaucha une grimace. Je venais, sans le savoir, de lui gâcher son plaisir. Elle me regarda et poussa un soupir inquiet :

— Encore des ennuis en perspective ! À cause de ses lubies, mon oncle va finir par nous faire jeter hors de ses terres !

Puis, passant de l'inquiétude à la joie, elle me tendit un carton rond d'où sortaient des rubans et des plumes.

— Pour vous, ma chérie. Je n'ai pu m'empêcher de le prendre malgré son prix. Mon oncle m'en fera sûrement reproche, mais il aura tort. Ce chapeau ira à merveille avec votre robe jaune.

J'eus à peine le temps de la remercier que le majordome annonçait son parfumeur. Je m'éclipsai sur la pointe des pieds avec mon cadeau, lorsque j'entendis un nouveau visiteur franchir le seuil du château.

Je jetai un œil dans le vestibule où je découvris un jeune militaire en uniforme. Mon cœur s'emballa car, de loin, il ressemblait à mon gentil compagnon de voyage.

— M. le capitaine de Prez de Crassier, s'annonça-t-il au valet.

Le nom ne m'était pas inconnu. Il s'agissait de l'un des gentilshommes que mon tuteur défendait contre les jésuites. Comme je pressentais une conversation aussi sérieuse qu'ennuyeuse, je m'en allais sans plus attendre vers ma chambre pour essayer mon joli chapeau neuf.

J'étais en train de le fixer sur mon chignon à l'aide d'une longue aiguille dorée lorsque la porte s'ouvrit à la volée. Agathe apparut, rouge et excitée. Elle se mit à rire, le visage caché dans ses mains.

— Que t'arrive-t-il ? m'étonnai-je.

Elle reprit sa respiration et me lança :

— Le bel officier que reçoit monsieur...

— Oui ?

— Il est venu pour vous. Pour des épousailles !

Le chapeau et l'aiguille tombèrent au sol.

— Il est venu... me demander... en mariage ? soufflai-je d'une voix blanche.

— Pour sûr ! Mais pas pour lui, pour son cousin.

Pendant que la servante se penchait et ramassait mon couvre-chef, j'avalais péniblement ma salive. Un gentilhomme allait demander ma main ? Je ne savais pas s'il fallait en rire ou en pleurer. J'étais en âge de me marier, certes, mais en avais-je l'envie ?

— Qu'a répondu M. de Voltaire ? m'inquiétai-je.

Je n'ignorais pas que les valets entendaient tout. À l'office, on devait déjà en faire des gorges chaudes.

— Ben dame ! répliqua Agathe. Il a dit oui, bien sûr !

Agathe avait l'air aux anges, moi beaucoup moins. Je me trouvais bien chez M. de Voltaire, et ne souhaitais pas en partir si vite, surtout pour vivre avec un parfait inconnu.

— Venez, s'écria la servante. On veut vous présenter. Votre futur était resté dans sa voiture, il a rejoint Monsieur au salon.

Elle me pinça les joues afin de leur donner de la couleur, arrangea ma coiffure et courut à la table de toilette chercher ma bouteille de parfum. Je la laissais faire, passive et presque anéantie.

*
* *

Je grimaçai en m'avançant. À chaque pas qui me rapprochait de lui, mon fiancé m'apparaissait dans toute son insignifiance. Il devait avoir vingt ans. Tant mieux, me dis-je pour trouver du courage, au moins était-il jeune. Mais il possédait le teint rougeaud, le poil rouquin, et comme il était mal fagoté dans sa chemise jaunie sur sa culotte de daim !

D'une timidité maladive, il n'osait me regarder. Son cousin, le beau militaire, lui donnait de discrets coups de coude pour le rappeler à ses devoirs. Malgré cela, il ne dit mot, et moi non plus. Après leur départ, Mme Denis demanda, inquiète :

— Faut-il vraiment que la petite l'épouse ? Il ressemble à un paysan.

Voltaire haussa ses maigres épaules. Il dodelina de la tête avant d'argumenter :

— Mais, c'en est un. C'est un gentilhomme…
fermier[2]. Il n'est guère causant, cependant je lui
trouve une certaine grâce… rustique. Et puis… Il vit
à trois pas d'ici, ainsi nous verrons Rodogune souvent.
De plus, il veut une épouse de bonne souche et n'est
point regardant sur la dot.

— De bonne souche ? s'étonna sa nièce.

— Ah ça ! répliqua aussitôt Voltaire, je lui ai assuré
qu'on ne pouvait posséder plus noble ancêtre que le
grand Pierre Corneille. Quant à la dot, il n'en a pas
demandé le montant, content qu'il était de m'avoir
pour beau-père ! Ne suis-je pas le nouveau seigneur
de la région ? Je saurai bien l'emberlificoter avec
quelques promesses…

— Grippe-sou ! s'indigna Mme Denis, le menton
haut, en m'entraînant hors de la pièce. Vous devriez
avoir honte !

*
* *

Je n'en dormis pas pendant deux jours, tant j'étais
désespérée de devoir épouser ce lourdaud. J'avais
vanné des paniers toute mon enfance, puis goûté au

---

2. Contrairement à certaines idées reçues, une grande partie des
nobles vivait dans une quasi-pauvreté. Ruinés au service du roi durant
les guerres, ils restaient propriétaires de quelques terres, qu'ils travail-
laient de leurs mains. Ils tenaient farouchement à préserver la pureté
de leur lignage et à garder leurs privilèges. Le plus avantageux était ne
pas payer d'impôts au roi.

luxe, grâce à une incroyable chance. Et voilà que je m'apprêtais à devenir fermière. Fermière, oui, mais noble !

Jouer les filles de ferme passait encore, j'avais connu bien pire chez mes parents. Mais partager ma vie avec ce rustre...

« Et si je m'enfuyais ? pensai-je au beau milieu de la nuit. Je pourrais gagner Mâcon à pied. Là, je prendrais le coche pour Paris, que je paierais avec quelques vêtements. Et j'irai me cacher chez M. Titon. »

La réalité me rattrapa très vite. Comment ferais-je pour marcher dans la neige avec un sac empli de linge, pendant au moins une semaine ? Je n'avais pas le moindre argent, pas le moindre appui et, à vrai dire, aucun goût pour ce genre d'aventure.

Ma tête retomba sur l'oreiller. J'étais perdue !

Donc, je priai et je pleurai beaucoup. Le troisième jour, Dieu – à moins que ce ne fût cette fameuse fée des Écrivains – entendit mes lamentations : les fiançailles étaient rompues.

Mon promis venait d'apprendre que, bien que demoiselle du château, je n'étais pas plus noble que son valet d'écurie. Quant à ma réputation, elle était maculée de traces aussi suspectes que scandaleuses. Mais, peu importaient les raisons de mon fiancé ! J'étais délivrée de ce noir dessein.

Qui avait bouleversé mon destin ? M. Fréron, le critique littéraire, celui qui avait organisé cette représentation que la Comédie-Française donna pour nous.

Fréron détestait Voltaire. Il n'avait pas apprécié mon départ pour Ferney et n'en décolérait pas. Quoi ? On lui avait enlevé « sa » dernière des Corneille ? Après tout ce qu'il avait fait pour ma famille ?

Il déclencha alors une tempête dans le monde des Lettres, et inonda la capitale de dépêches nauséabondes. On lisait dans l'*Année Littéraire*, son journal, que mon père n'était qu'un pauvre facteur de la Petite Poste, à quarante-huit livres de gages, et que moi, pure jeune fille tout juste sortie du couvent, avais été livrée à ce mécréant de Voltaire.

Fréron insinuait aussi que Mme Denis avait des mœurs dissolues et sous-entendait que j'allais sûrement recevoir une belle instruction, avec de tels professeurs !

Maman Denis, outrée qu'on la traite de femme légère, décida de porter plainte pour diffamation. M. de Voltaire en fit autant. Moi, je soupirai de soulagement : j'étais libre.

Je retrouvai aussitôt le sourire, tandis que Voltaire et Fréron s'insultaient par article interposé. Mon tuteur en profita pour inventer quelques mots d'esprit qui firent rire l'Europe entière. Il nous improvisa ce petit quatrain, un soir au dîner :

> *L'autre jour au fond d'un vallon,*
> *Un serpent piqua Jean Fréron ;*
> *Que croyez-vous qu'il arriva ?*
> *Ce fut le serpent qui creva !*

Par chance, la querelle cessa. Voltaire trouva d'autres causes à défendre. Quant à Fréron, il décida, faute de sauver la dernière des Corneille, de se lancer dans une nouvelle bonne action : il s'occupa des descendants du poète Jean de La Fontaine...

13

— Monsieur n'est pas encore levé ? m'étonnai-je un matin.

— Non, me répondit son valet d'une voix sans émotion. Monsieur est mourant.

Je poussai un cri d'effroi. Dans mon dos, j'entendis Maman Denis pester tout fort :

— Encore ! Il exagère !

Je la trouvai bien dure. Quant à moi, je courus dans la chambre de mon tuteur. Il était couché, sa pauvre tête coiffée d'un bonnet, posée sur ses oreillers.

— Oh, ma petite Cornélie, me dit-il d'une faible voix, vous êtes venue me dire adieu, avant mon dernier souffle.

— Monsieur, qu'avez-vous ? m'écriai-je, complètement affolée. Hier, vous alliez pourtant bien ! Avez-vous pris froid ? Où est le docteur ? Faites-le chercher ! Vite !

Mais Mme Denis répondit depuis la porte.

— Nul besoin de médecin ! dit-elle en s'approchant. Que se passe-t-il, mon oncle ? Un courrier mal digéré ? Une bouffée d'orgueil mal placée ?

Je le vis bouger dans le lit, pour nous tourner le dos.

— Sortez, madame, je meurs. Ce moment-là m'appartient, je ne le partagerai pas avec vous.

— Que vous arrive-t-il ? fulmina sa nièce.

Après dix secondes d'un silence inquiétant, il finit par s'asseoir, comme si de rien n'était. Ah, l'affreux ! Il n'était pas plus malade que moi !

Bras croisés, l'air boudeur, il expliqua :

— C'est l'épiderme de ma vanité qui est égratigné… Des prédicants[1] de Genève viennent de détruire quelques-uns de mes livres en place publique. Juges persécuteurs, reprit-il avec emphase, vous brûlez les écrits, pourquoi pas les auteurs ! Vous êtes tout pétris de bêtise et de haine !

— Et c'est pour cela que vous mourez ? m'étonnai-je.

— Il y a de quoi ! s'indigna-t-il. Mes œuvres, brûlées…

Je regardai Maman Denis qui se contenta de soupirer. Alors je tentai :

— Écrivez-leur un de ces textes qui font bien mal, pour vous venger.

---

1. Ministre de la religion protestante, dont la fonction est de prêcher.

— Me venger ? Me venger… C'est une idée.

Il rejeta tout à coup ses couvertures et appela son valet. Puis, à l'abri d'un paravent où il s'habillait, il me lança :

— Rodogune, que diriez-vous de jouer la comédie ?

J'en restai stupéfaite. Mais peu lui importait ma réponse, il poursuivit :

— Il me faut me venger des prédicants, n'est-ce pas ? Le mieux pour cela est d'ouvrir notre théâtre aux moins obtuses de leurs ouailles[2]. Ils ont brûlé *Candide,* nous donnerons donc *Candide.*

Sa nièce, toute colère envolée, battit joyeusement des mains :

— Mon oncle, pourrai-je jouer Cunégonde ?

— Bien sûr ! Ce rôle est fait pour vous. N'êtes-vous pas ma muse, mon égérie ? déclara-t-il en sortant habillé de derrière le paravent.

J'ignorai ce qu'était une égérie, et je n'osai le demander. En revanche, je me risquai :

— *Candide*, c'est une pièce de théâtre ?

— « Est-ce », pas « c'est ». Non, ignare, il s'agit de mon meilleur conte philosophique. N'en avez-vous jamais entendu parler ? Pourtant, la France entière connaît cette œuvre.

Mais, il était vexé comme un pou ! Je tentais de me rattraper :

---

2. Fidèles, croyants.

117

— C'est qu'on fait point de philosophie au couvent.

Aïe ! Ma phrase lui écorcha les oreilles. Il rentra la
tête dans les épaules avec un rictus dégoûté qui
découvrit ses gencives lisses. Je me repris aussitôt en
articulant :

— Je voulais dire que les religieuses n'enseignent
pas cette discipline dans les couvents. Les jeunes filles
n'y lisent pas de contes philosophiques.

Le mot « conte » me plaisait, le terme « philosophique », en revanche, beaucoup moins. Les deux ensemble me paraissaient contradictoires. Cette chose-là
existait donc ?

Mais mon tuteur semblait satisfait de ma réponse.
Des étoiles plein ses yeux de vieux petit lutin, il
m'expliqua :

— J'en ai écrit une version en prose pour le théâtre, voilà six mois. Une sorte de récitation sans prétention, qui n'a d'autre but que d'amuser nos amis...
Candide, c'est l'histoire d'un jeune homme pauvre à
qui on rabâche depuis son enfance que « tout est pour
le mieux dans le meilleur des mondes ». Seulement,
il tombe amoureux de la jeune fille de la maison, sa
cousine Cunégonde, et se voit jeter dehors par le père
de son aimée. Il va lui arriver d'incroyables aventures,
et il comprendra, peu à peu, ce qu'est le vrai sens de
la vie.

— Le tout, le coupa sa nièce avec entrain, est fort
drôle, et plein de sous-entendus contre ceux qui nous
gouvernent.

J'observai Maman Denis. Malgré sa quarantaine rondouillarde, c'était donc elle qui allait jouer Cunégonde, la jeune fille de la maison ? Tout d'abord, la chose m'apparut hautement ridicule. Puis je me rappelai que l'art du théâtre consistait à déguiser la réalité. Peut-être que, sur scène, Maman Denis semblait avoir vingt ans ?

— Vous ferez de la figuration, reprit M. de Voltaire.

Je poussais un ouf de soulagement. Pendant un instant, j'avais eu peur qu'il m'oblige à déclamer.

— J'accepte avec plaisir, lui dis-je. Je veux bien figurer tout ce que vous voulez.

— Mon oncle… Elle sera parfaite en paysanne au début, puis en servante, et enfin en Sauvage…

— En Sauvage ? m'écriai-je, pensant à une plaisanterie.

À cette proposition, Voltaire se mit à trépigner de joie :

— Oui, couverte de noir de fumée et coiffée de plumes, elle sera superbe. Bravo, ma nièce ! Allons au *tripot*…

— Au tripot ? m'écriai-je de nouveau. Vous vous moquez de moi ?

— Non point, gloussa Mme Denis. C'est le surnom que mon oncle donne à son petit théâtre. Venez, ma chérie.

Le temps de passer un manteau et nous filions dehors. La neige était en train de fondre – nous étions fin février –, un air vivifiant nous gonflait les poumons.

119

Au loin, je regardai les sommets des Alpes, blancs, splendides.

— La luminosité est trop forte, se plaignit mon tuteur, elle me brûle les yeux. Cornélie, me fit-il, donnez-moi donc le bras.

Je connaissais le petit théâtre, Agathe m'y avait emmenée. Il avait été installé à l'intérieur d'une grange, dans la cour, à trois pas du château, à côté d'une... certaine église. Il n'y avait pas à dire, M. de Voltaire savait y faire en matière de provocation ! Construire une salle de spectacle près d'un lieu de culte, voilà qui avait dû lui plaire !

— Ah, petite Corneille, j'en appelle à votre bon goût. Confirmez-moi que cette chapelle est d'une incroyable laideur, jeta-t-il en me regardant.

— Pour sûr qu'elle est laide ! répliquai-je sans me démonter.

Je savais qu'il cherchait à me choquer. J'évitai de tomber dans son jeu et je l'approuvai. J'ajoutai pour faire bonne mesure :

— Vous m'en aviez promis une autre, bien plus belle.

Il me glissa alors à l'oreille :

— Puisque vous me donnez votre permission, je la ferai démolir dès demain.

— Oh ! Vous êtes horrible ! m'écriai-je. Vous finirez excommunié[3] !

_____

3. Personne exclue de l'Église et de ses sacrements. La sentence est

120

Ma réaction le fit glousser de joie, mais Mme Denis, elle, se mit à pester de tant d'inconscience. Mon tuteur se justifia alors, une main sur le cœur :

— Mais enfin, puisque je vous en construirai une autre... Allons, cessez toutes les deux, passons au tripot.

La salle était fort jolie. Près de la porte s'entassaient des toiles de décors peints dans un genre plutôt naïf et coloré. Tout autour de la scène s'alignaient des fauteuils, des chaises et des bancs. On devait facilement y tenir à cent.

La scène était de bonne taille, coiffée de beaux rideaux de velours et pourvue de chandelles. Pour l'heure, des draps, des nappes et des serviettes y séchaient sur de longs fils.

— Nous manquons de place au château, expliqua Maman Denis. Comme nous tenons auberge, il nous faut également faire blanchisserie.

— Cessez de vous plaindre, la reprit M. de Voltaire. Vous ne sauriez vivre sans recevoir. Vous vous ennuieriez à périr !

Elle approuva et se mit à rire :

— Donnez-moi dix jours, mon oncle, et je bats le rappel de tous nos amis. Le temps de lancer les invitations, de composer le dîner, de répéter. Mais..., s'angoissa-t-elle, nous n'aurons pas assez de nos douze chambres pour loger tout notre monde... Il fait un

---

grave pour un croyant, puisque l'excommunié perd toute chance d'aller au paradis après sa mort, et de ressusciter au jour du Jugement dernier.

froid de loup. Nous n'allons pas les lâcher, en pleine nuit, sur les routes.

— Fâcheux, soupira de concert M. de Voltaire. Elle me faisait pourtant bien envie, cette vengeance théâtrale.

Sa nièce proposa tout à coup :

— Donnons ensuite un grand bal ! Jusqu'à l'aube ! Servons-leur un buffet chaud et, au matin, nos invités repartiront chez eux.

— Merveilleux ! s'écria Voltaire, conquis par cette idée.

Il lui embrassa la main, avec cette grâce d'homme du monde habitué aux salons, et se releva à grand-peine en se tenant le dos.

— Un bal ? répétai-je entre plaisir et crainte. Vous voulez vraiment donner un bal ? Je ne suis jamais allée au bal.

Mme Denis se dégagea, ravie, pour m'entraîner :

— Venez, Marie, nous avons du travail. Je vais vous enseigner comment on organise une réception réussie.

Nous plantâmes là M. de Voltaire, qui ne s'aperçut même pas de notre départ. Grimpé sur la scène au milieu des draps, il se lança dans des déclamations enflammées où sa canne lui servait d'épée, de sceptre, ou je ne sais quoi d'autre !

14

Maman Denis m'entraîna à l'office, au sous-sol du château. Après avoir traversé le lavoir et les cuisines, nous retrouvâmes notre cuisinier dans le garde-manger. Le pauvre homme poussa les hauts cris en nous montrant les étagères à demi vides :

— Où voulez-vous que je trouve de quoi nourrir cent personnes ? En hiver, on manque de tout, et il n'y a point de légumes !

— Vous y arriverez ! lança Mme Denis avec bonne humeur. Cuisinez des lentilles ou des pois ! Achetez des volailles, des tourtes, des pâtés... Il ne s'agit pas d'un dîner de gala, mais d'un buffet entre amis. Confectionnez-nous de ces tartes aux pommes, et de ces brioches, dont vous avez le secret.

Nous quittâmes le sous-sol presque au pas de course. Tout en enfilant les couloirs, Mme Denis m'expliqua d'une voix essoufflée :

— Comme vous le voyez, il n'y a là rien de bien compliqué. N'oubliez pas, ma chère enfant, qu'une dame avisée se contente de donner des ordres, et que le personnel se débrouille pour les exécuter.

— Je m'en souviendrai, Maman Denis.

— À présent, occupons-nous des invitations. Cela vous fera un très bon exercice.

— Oh non ! pestai-je. Vous voulez me faire écrire une centaine d'invitations ?

— À peine cinquante, ma chérie, me rassura-t-elle, car nos spectateurs viendront par deux ou par trois.

— Cinquante, tout de même ! Vous voulez ma mort !

Finalement, je passai une excellente journée. Nous nous étions installées dans sa chambre. Et, tandis que je formais mes mots en tirant la langue, Maman Denis, assise dans une confortable bergère près du feu, les pieds posés sur un petit tabouret, me racontait ses amis.

Elle avait sorti d'un placard une boîte ronde contenant des friandises. Elle s'en gavait à en être malade, ce qui expliquait en bonne part son embonpoint. La boîte sur les genoux, la bouche pleine de chocolats, elle émaillait sa conversation de commentaires aussi drôles qu'impertinents.

Comme je finissais une lettre, elle consulta quelques feuillets contenant la liste de leurs relations :

— M. de Beaupré... Un imbécile, doublé d'un cocu. Mais il est si brave. Brave dans le sens naïf, naturellement, pas dans le sens courageux. C'est un excellent joueur de trictrac, où il a une vraie chance de…

Elle se mit à rire, se reprit en toussotant, et poursuivit plus sérieusement :

— Il ne viendra pas, il souffre de la goutte. Passons aux suivants.

Je pris une nouvelle feuille.

— Ah ! fit-elle, les Dupuits de la Chaux… Lui est beau garçon ; elle, très jeune et charmante, quoiqu'un peu trop exubérante à mon goût. Seulement, je ne sais s'ils se trouvent sur leurs terres. Envoyons-leur tout de même une invitation.

Elle me donna l'adresse, et je m'exécutai en soupirant. Je commençais à souffrir de sérieuses crampes.

— Allons, plaisanta Mme Denis. Plus qu'une dizaine.

Puis, elle engloutit deux chocolats qu'elle mâcha avec délice.

— Voilà une bonne occasion d'étrenner votre nouvelle robe rose, me dit-elle avant de se curer les dents du bout de la langue. Au fait, Marie… Savez-vous danser ?

J'en fus si surprise que je fis une grosse rature sur la feuille ! Je revis aussitôt en pensée le maître de menuet du couvent, avec sa perruque ridicule et ses mollets de coq.

— Non, Maman Denis, je ne sais pas. Je crains d'avoir aussi peu d'aptitude pour la danse que pour la grammaire.

— Pas de défaitisme, ma petite Marie. Nous y arri-
verons…

Et elle enfourna trois chocolats d'un coup.

*
* *

Le cuisinier trouva ses volailles, ses pâtés, et assez
d'œufs pour réaliser de la pâtisserie pour cent ; les
invitations étaient lancées. Les répétitions commencèrent.

Elles se passèrent dans un joyeux chahut. Hormis
le père Adam, tout le monde y participa, les jardiniers
comme les femmes de chambre, maîtres et serviteurs
mêlés. M. Wagnière, le secrétaire, endossa la peau de
Candide, Voltaire celle de Pangloss, son précepteur,
Maman Denis nous fit la jeune Cunégonde.

Mes apparitions en soubrette et en paysanne ne me
posèrent pas de problèmes. En revanche, jouer la Sauvage m'angoissait fort, d'autant que M. de Voltaire
voulait me faire crier : « À bas les jésuites ! »

Tout d'abord, je refusai. Puis je lui demandai :

— Quel est le rapport avec les Sauvages ? Décidé-
ment, avec vous, même les peuplades les plus perdues
détestent les prêtres ! N'est-ce pas un peu exagéré ?

Il parut surpris de me voir regimber et m'expliqua
comme à une enfant :

— Il n'y a pas pire que les jésuites. Ils accompa-
gnent les colonisateurs sur les terres non catholiques
et convertissent leurs peuples de force, au nom de

Dieu, quand ils ne les réduisent pas en esclavage. Donc, dans mon livre, les Sauvages les détestent. Ils prennent Candide pour l'un de ces prêtres, et c'est pour cette raison qu'ils crient : « À bas les jésuites ! »

J'en restai bouche bée. Les jésuites faisaient donc cela ? Mon tuteur, devant ma stupéfaction, continua :

— Voulez-vous un exemple ? Avant que les jésuites n'arrivent en Chine, les Chinois se servaient de la poudre pour lancer des feux d'artifice. Les jésuites, eux, leur ont appris à fabriquer des canons et à tirer des boulets avec. Bon. À présent, criez bien fort : « À bas les jésuites ! » Et dites-vous qu'il n'y a rien de mal à cela. S'en prendre aux prêtres, ce n'est pas s'en prendre à Dieu.

Le soir même, mon tuteur sortit de sa bibliothèque un exemplaire de *Candide* qu'il me donna à lire. N'aimant pas la lecture, et encore moins la philosophie, j'en fus bien embêtée.

Pourtant je le lus, et je ne fus pas déçue : les aventures de Candide et Cunégonde se révélaient fort drôles, émouvantes, avec maints rebondissements.

Il n'y avait rien à redire, M. de Voltaire écrivait très bien les contes. Cependant, j'avais beau chercher dans *Candide* la moindre philosophie, je n'en trouvais pas. Cette chose-là, pensai-je, devait être comme la fève du gâteau des Rois, je n'étais sans doute pas encore tombée dessus.

En attendant de la découvrir, je suivais avidement Candide au Portugal, aux Amériques et à Constantinople. Quel beau voyage, j'adorai cela ! Agathe dut même, un soir, m'enlever le livre des mains avant de souffler ma chandelle.

*
* *

La fête se préparait… Restait la danse.

Maman Denis engagea un professeur de Genève tout exprès pour moi. Il se faisait fort de m'apprendre le menuet, le passe-pied, la gavotte et la sarabande en huit jours. Mais, même s'il se montra patient, il ne me transforma pas pour autant en demoiselle d'opéra. Au bout de trois jours, devant mon peu de résultats, il lui vint une idée saugrenue. Il demanda à voir mes jambes.

— Et puis quoi, encore ! protestai-je. Malotru !

Mais il eut gain de cause et je dus soulever mes jupes.

— Elle a une malformation de la hanche, dit-il à Mme Denis. Comment voulez-vous qu'elle nous fasse de beaux ronds de jambe et des glissés gracieux !

Sans le savoir, ce monsieur venait de trouver une excellente excuse à mon incompétence. M. de Voltaire en fut tout bouleversé. Il appela aussitôt son médecin.

— Cette jeune fille a longtemps souffert de malnutrition, déclara ce dernier. Sa croissance en a été contrariée. Veillez à ce qu'elle ne se fatigue pas. Point trop de danse, qu'elle marche plutôt au grand air avec des chaussures plates.

Le grand air, c'était une manie du docteur Tronchin. Il était « hygiéniste[1] » et avait même inventé pour la marche une robe sans corset ni panier, que ses adeptes appelaient des « tronchines ». J'acceptai de bon cœur, car je n'appréciais guère de porter un corset. Cet engin de torture m'empêchait de bouger et de respirer. Il donne aux dames de qualité taille fine et port gracieux, mais à quel prix !

— Fichtre, s'inquiéta tout à coup Maman Denis, comment Marie fera-t-elle son entrée dans le monde, si elle ne danse pas ?

Voltaire dodelina de la tête sous son bonnet :

— Vous lui apprendrez le clavecin et elle chantera, fit-il en haussant les épaules. Et tant mieux pour les pieds de nos invités, que nous aurons épargnés.

— Lui apprendre le clavecin… en six jours ? grimaça Mme Denis. Elle débute à peine le solfège… sans grand avenir, je le crains. Elle n'a guère de dispositions pour la musique.

— Comme pour le reste, railla-t-il. Ma nièce, vous lui trouverez sûrement un morceau qui se joue avec deux doigts, et un air qui se chante sur une octave. Pourvu qu'elle ne nous écorche pas les oreilles, je suis prêt à tout.

---

1. Courant très en vogue au XIXe siècle, dont Théodore Tronchin fut le précurseur au XVIIIe siècle. Il prônait la propreté du corps, une nourriture saine, l'exercice et le repos, pour favoriser la santé, tant physique que mentale. Outre ces mesures, Théodore Trochin était un fervent défenseur de l'inoculation, ancêtre de vaccination contre la variole.

Puis il repartit vers la bibliothèque. Cela n'était guère flatteur pour moi, mais au moins ne me demandait-il pas la lune !

Ma mère adoptive, elle, se trouva si angoissée à l'idée que je ne paraisse pas à mon avantage, qu'elle alla aussitôt se consoler avec une assiette de biscuits.

15

Finalement, je n'appris pas plus le clavecin que la danse. Mme Denis, tout à l'organisation de cette soirée, n'eut guère de temps à me consacrer.

La nuit était tombée. Le nez collé à la fenêtre de ma chambre, je voyais défiler les voitures, qui lâchaient devant le perron un flot de dames et de messieurs élégants. Voltaire et Maman Denis les accueillaient avec effusion. Retrouvailles, cris de joie, embrassades... J'entendais leurs rires, tandis que les serviteurs, levant haut des torches, les menaient ensuite au petit théâtre.

Dans mon dos, Agathe préparait mon corset, ma robe rose et son « panier », une large cage d'osier que l'on attache à la taille et qui gonfle la jupe : autant dire une armure propre à défendre la vertu des jeunes filles !

— Vous pourrez peut-être danser un peu, me glissa-t-elle en voyant mon air morose. Ne désespérez point ! Il y aura bien quelques beaux garçons, qui ne demanderont pas mieux que d'inviter une jolie demoiselle comme vous. Et tant pis si vous n'êtes guère habile.

Je l'entendis à peine. J'étais morte de peur. Ce qui m'avait semblé jusque-là une joyeuse plaisanterie m'apparut dans toute son horreur : j'allais monter sur une scène devant cent personnes et, sans aucun doute, me ridiculiser.

J'étais sur le point de lui livrer mes craintes lorsqu'elle sortit. Elle revint presque aussitôt et me tendit un petit verre.

— Buvez ! me dit-elle. Cela vous donnera du courage.

La brave fille avait tout compris ! Il s'agissait d'une liqueur aux herbes que M. de Voltaire prenait pour digérer. Elle était si forte que je me mis à tousser. Pourtant, quelques minutes plus tard, je me sentis comme requinquée et je me levai, toute peur envolée.

La suite se passa comme dans un rêve. La salle était sombre. J'entendis les spectateurs plus que je ne les vis. Une barrière de chandelles nous séparait d'eux. À peine discernai-je quelques dames, au premier rang, dont les visages me semblaient rieurs et satisfaits.

Les musiciens attaquèrent un air champêtre ; la représentation commença. Il s'agissait d'une longue récitation faite par un jeune vicomte qui résidait chez nous depuis quelques jours.

Assis près du rideau, il lisait le texte d'une voix haute et claire, tandis que les comédiens mimaient.

De temps en temps, le vicomte se taisait et les personnages jouaient les moments les plus importants ou les plus poignants.

Ainsi, depuis les coulisses, je fus témoin d'une scène tendre entre Candide et Cunégonde. Elle était bonne actrice, ma chère Maman Denis ! Bien sûr, elle ne paraissait pas avoir vingt ans, mais on oubliait vite son âge tant, dans sa bouche, les mots sonnaient juste.

— Elle est magnifique ! m'extasiai-je de bon cœur.

M. de Voltaire, dans mon dos, me glissa :

— Vous ne trouvez pas qu'elle a grossi ?

Il me montra, de son menton pointu, sa plantureuse nièce, un peu boudinée dans une somptueuse robe de soie bleue à panier, largement décolletée. Je n'osais répondre, de peur d'être désobligeante. Mais il s'obstina mine de rien, avec un air faussement attristé :

— Oui, elle a encore grossi. Ses costumes me coûtent cher, savez-vous. Celui-ci lui allait très bien voilà encore six mois… Il va falloir le changer… La bonne chair la perdra.

Sur ces petites perfidies, il se tut et il ferma les yeux, comme pour mieux savourer les mots des comédiens. Puis il me glissa avec une naïveté touchante :

— Que cela est beau ! C'est moi qui l'ai écrit. Quel talent !

Mon tour vint bientôt. Candide et le baron se querellaient devant Cunégonde en larmes. Je courus sur scène, habillée en soubrette. Je n'étais guère à l'aise ! Pire, je ne savais plus ce que je devais faire.

133

— Le balai ! Le balai ! hurla M. de Voltaire depuis les coulisses. Vous avez oublié votre balai !

Je me précipitai pour prendre l'instrument et j'en donnai des coups à Candide que nous étions censés, le baron et moi, jeter hors de la maison. Cependant, la bruyante intervention de mon tuteur avait mis notre auditoire en joie. Entre deux rires, j'entendais rouler dans la salle : « Voici donc la fameuse Mlle Corneille ? Celle dont tout Paris parle ? »

Oui, c'était moi. Ma prestation terminée, je disparus, tremblante, à l'abri derrière le rideau. Agathe, déguisée en vieille femme, vint m'y rejoindre pour me féliciter :

— C'était fort bien.

J'en doutais. Cependant, je fis beaucoup mieux lorsque je reparus en paysanne. Nous mimions les malheurs de la guerre. J'étais malmenée par des soldats. Je jetais les bras au ciel, demandant grâce, et un de nos jardiniers me transperçait de son épée. J'entendis des oh ! dans la salle et j'en fus ravie.

Plus tard, j'obtins un véritable triomphe alors que j'entrais déguisée en Sauvage. Nous étions trois autour d'un grand chaudron et nous nous apprêtions à faire cuire Candide au cri de : « À bas les jésuites ! »

Dans le livre, ce peuple vivait nu. Fort heureusement, mon tuteur jugea plus décent de nous couvrir d'une tunique. J'avais donc prononcé des insultes anticléricales, mais sans montrer mon derrière. Je ne sais, de ces deux horreurs, celle qui aurait le plus chagriné ma pieuse mère ! Le public, lui, m'applaudit des deux mains.

Et M. de Voltaire ? Quel genre de comédien était-il ? Mauvais, je le crains.

Il avait couru tout le jour sur ses jambes branlantes, vêtu depuis l'aube de son costume, et répétant son rôle à tue-tête. Le soir, dans les coulisses, il fut insupportable. Il tapait avec sa canne, lâchant de furieux : « Ah, je suis accablé ! » lorsque le ton des acteurs lui déplaisait, ou de joyeux : « Quelle merveille ! j'en suis tout transporté ! », quand il était content.

Il interrompait sans cesse le spectacle. Je le vis même, en pleurs, entrer sur scène pour se jeter aux genoux de sa nièce :

— Madame, vous me comblez !

Et cela, c'était quand il ne jouait pas.

Car quand il jouait… Ah ! son jeu ! Il braillait, prenait les spectateurs à témoin lorsqu'ils ne riaient pas à ses bons mots, et multipliait les coups d'œil appuyés, les grandes enjambées et les envolées lyriques… Il me fit bien rire !

À la fin de la représentation, je courus au château pour laver le noir de fumée de mon visage et pour me changer. Ces quelques minutes passées sur scène, je les avais finalement trouvées très grisantes. Je me promis que, la prochaine fois, je dirai des vers, de beaux vers, de ces alexandrins qui font se pâmer les gens cultivés. Je sentais enfin le sang des Corneille bouillonner en moi !

16

Lorsque je descendis de ma chambre, le bal avait commencé. Nos invités se promenaient dans les salons et le grand vestibule, dont on avait laissé les portes ouvertes.

La musique était superbe ! J'observais avec ravissement les robes des dames et les justaucorps colorés des messieurs. Que de bijoux ! Que de dentelles ! Les odeurs des parfums se mêlaient, et les rires aussi.

Je n'éprouvai nulle peur. Depuis trois mois que je vivais ici, j'avais pris l'habitude de rencontrer des gens. Tout du moins, des gens assis autour d'une table, un verre de bon vin à la main et un bon mot aux lèvres. Encombrée par ma robe à panier, je me glissai comme je pus entre nos hôtes, cherchant parmi eux quelques têtes connues.

Je finis par trouver Maman Denis en grande conversation avec trois gentilshommes. En coquette accomplie, elle jouait de l'éventail avec grâce et lançait des œillades à tout ce qui portait culotte.

M. de Voltaire, lui, ne se voyait nulle part. Sans doute s'était-il déjà retiré dans sa chambre, ce qu'il faisait souvent le soir, à cause de ce qu'il appelait sa « petite santé ». J'aperçus enfin le père Adam parlant avec M. Wagnière, au coin d'une cheminée. Je m'empressai de les rejoindre.

— Quelle élégance, me dit galamment le secrétaire. Vous ne l'étiez pas moins tout à l'heure, lorsque vous vous promeniez vêtue en Sauvage, toute prête à me dévorer.

— Et vous disiez de fort vilaines choses ! le coupa le prêtre en bougeant sa main devant mon nez comme s'il voulait me donner une fessée.

— Oh ? m'étonnai-je faussement.

— « À bas les jésuites ! », cela se paiera en confession !

Je n'en crus pas un mot, car il me souriait.

— Ce n'est point pécher, lui répondis-je de bonne foi. M. de Voltaire m'a affirmé que s'en prendre aux prêtres n'était pas comme s'en prendre à Dieu…

Quelqu'un toussota dans mon dos. Comme je me retournai un peu vivement, je flanquai sans le vouloir un grand coup de robe à panier, au monsieur qui se trouvait derrière moi. Il sauta en arrière et se mit à rire. J'allais m'excuser lorsque le souffle me manqua.

— Vous ?

Je venais de reconnaître mon beau militaire ! Celui

qui aimait tant Corneille, et dont j'avais rêvé bien des fois.

— Mais oui, fit-il. Je pourrais vous retourner le mot, mademoiselle. Vous ? Quel curieux clin d'œil du destin. Vous ne m'aviez pas dit que vous connaissiez M. de Voltaire.

— C'est que…

J'étais sans doute devenue rouge. Et j'étais si émue, que je ne trouvai rien à répondre. Wagnière vint à mon aide :

— Monsieur Dupuits de la Chaux ! Quel plaisir de vous revoir. Vous avez donc rencontré Mlle Corneille ?

— Nous nous sommes croisés en voyage, sans pour autant nous présenter, fit mon militaire. Vous savez ce qu'il en est de cohabiter en coche.

— Monsieur est notre voisin, m'expliqua le secrétaire. Ses terres touchent celles de M. de Voltaire.

Malgré mon émoi, j'essayai de me souvenir de ce que Maman Denis m'avait dit de M. Dupuits… Hélas, je ne m'en souvenais pas.

— M'accorderez-vous cette danse ? demanda-t-il en se courbant devant moi.

Les musiciens jouaient une sarabande et j'avais envie de fuir. Cependant, mes escarpins restèrent ancrés au sol.

Par chance, la sarabande était ce que je dansais le moins mal. Sans trop savoir comment, je me retrouvai à le suivre.

Ses yeux gris pétillaient de gaieté ; il arborait un

sourire franc et lumineux. Je pris sa main et ne me posai plus de questions.

Aujourd'hui encore je me souviens de cette sarabande, ma première danse. La pire et la plus merveilleuse.

Mes jambes ne suivaient pas, j'avais la tête dans les nuages, au paradis. Ma maladresse le faisait rire. Il ne cessait, gentiment, de me tirer ou de me pousser, selon mes erreurs.

— Ainsi donc, vous êtes la mystérieuse Mlle Corneille.

Je rougis de plus belle. J'avais à Ferney les maîtres les plus spirituels, mais je ne parvins qu'à répondre un timide :

— Oui, monsieur.

Puis, je me risquai à poursuivre :

— Je n'ai vraiment rien de bien mystérieux.

— Dans tous les salons de France, on ne parle pourtant que de la fille adoptive de M. de Voltaire. Que n'aurais-je donné pour être son fils ! Je suis orphelin de père, me confia-t-il. Ah ! côtoyer Voltaire... Entendre ses paroles...

Son ton était sincère. Comme tous les gens présents ici, M. Dupuits était un admirateur inconditionnel de mon tuteur.

— J'ai cette très grande chance, répondis-je tout aussi sincèrement. C'est un homme admirable, doublé d'une grande bonté. Et vous-même ? tentai-je d'un ton malhabile. Serez-vous encore longtemps sur vos terres ?

— Hélas ! Cette guerre n'en finit plus. Vous souvenez-vous ? Je suis cornette. Je m'attends à être appelé d'un jour à l'autre en Westphalie.

La danse se terminait. Il se courba devant moi pour me remercier. Puis il demanda :

— M'autorisez-vous à venir vous saluer dans quelques jours, avant mon départ ?

— Avec grand plaisir…

Je n'eus pas le temps d'en dire plus. Une jolie jeune fille brune le bouscula, avant de se pendre sans façon à son bras :

— Claude ! s'écria-t-elle. À moi, maintenant ! Je vous l'enlève, mademoiselle, me fit-elle gaiement, car je n'ai pas encore dansé une seule fois avec lui.

Je fus si choquée de cette intervention, que j'en restai sans voix. Puis, je me rappelai les mots de Maman Denis : « Les Dupuits… Lui, est plutôt beau garçon ; elle, est charmante. » Un seau empli de neige fondue ne m'aurait pas refroidie davantage !

Claude Dupuits de la Chaux était marié.

Je rendis à sa jeune épouse son sourire avant de m'éclipser. Je montai ensuite à ma chambre, où je m'enfermai pour pleurer tout mon soûl. Depuis le fond de mon lit, j'entendis la musique et les rires de nos invités jusqu'à l'aube. Puis ce fut le flot des voitures qui partaient… Enfin !

17

Les jours suivants, je fus de très mauvaise humeur. Mon entourage mit cela sur le compte de ce fameux bal où je n'avais pu danser, ma santé me l'interdisant. Je me gardai bien de les contredire, car je ne souhaitais, en aucun cas, divulguer la cruelle désillusion dont j'avais été l'objet.

Cependant, un matin, mon tuteur me coinça :

— Voilà une semaine que nous n'avons parlé. Vous deviez lire *Candide*...

— Je l'ai fait, monsieur.

— Parfait. Dans ce cas, pouvez-vous me dire ce que vous pensez de la fin. Quelle en est la morale ?

Non seulement je n'y avais pas trouvé de morale, mais je n'avais aucune envie de discuter avec lui. Je m'empressai de lui répondre d'un ton sec :

— Il n'y a point de morale. À la fin, Candide part vivre à la campagne.

Il se mit à trépigner, comme agacé par ma stupidité. J'avoue que cela m'agaça aussi, d'autant plus qu'il insista :

— À la fin, j'écris : « Il nous faut cultiver notre jardin. » Qu'ai-je voulu dire par là ?

Je n'en savais rien, et m'en moquais éperdument ! Je me permis alors de lui répondre d'un air fort désagréable :

— Pourquoi me posez-vous la question ? C'est vous qui l'avez écrit, que je sache. Vous devez connaître la réponse !

Sur quoi, je m'en allai le menton haut. Je ne partis pas assez vite, car je l'entendis dire à sa nièce :

— Je veux bien être patient, mais je ne saurais tolérer encore longtemps ce sale caractère. Faites-lui donc broder du petit point, cela lui calmera les nerfs !

J'en fus si contrariée, que je claquai violemment la première porte que je rencontrai, avant de me réfugier dans ma chambre.

Pourtant, je ne pouvais tenir pour responsable de mes malheurs quiconque dans cette maison. M. Dupuits, lui-même, n'y était pour rien. En aucun moment, il ne m'avait fait la cour. En aucun moment, il ne m'avait laissé espérer autre chose qu'une simple visite de courtoisie.

Étais-je donc naïve de croire qu'il suffisait de croiser un beau jeune homme, pour que celui-ci tombe amoureux de ma petite personne, et me promette une affection éternelle !

— S'il vient me voir, pensai-je tout haut, je trouverai une excuse pour ne pas le recevoir.

J'étais malheureuse, vexée, blessée. Mais je devais faire face. Il ne servait à rien de me morfondre, et encore moins de faire supporter à mon entourage ma mauvaise humeur.

Je m'en voulais d'avoir mal parlé à M. de Voltaire. Décidée à réparer cette faute au plus vite, je courus chercher mon *Candide,* pour relire le fameux passage sur le jardin. À coup sûr, c'était là que se cachait cette philosophie que je n'avais pas su trouver.

« Il nous faut cultiver notre jardin. » C'était un message secret… Encore fallait-il en découvrir le sens !

Je descendis à midi pour m'excuser. M. de Voltaire me reçut de mauvaise grâce, sans même arrêter ses occupations. Wagnière et Mme Denis m'ignorèrent. Moi, voulant faire bonne impression, j'attaquai, debout devant eux, telle une écolière :

— Au début de l'histoire, on enseigne à Candide que « tout est pour le mieux dans le meilleur des mondes ». C'est un philosophe du nom de… Leibniz qui a le premier débité cette sottise. Il avait tort, bien sûr. Je pourrais vous trouver trente personnes qui vous diront que le monde est mauvais, et que rien n'y va pour le mieux… Bref. Candide est crédule. Il fuit dans divers pays, subit nombre d'épreuves, jusqu'à ce qu'il découvre son jardin.

Mon tuteur posa le livre qu'il était en train de feuilleter, tout étonné. J'avais enfin capté son attention.

— Ce fameux jardin, repris-je, est comme une

143

parabole des Évangiles. Un jardin, c'est utile, car on peut y faire pousser des légumes et se nourrir. Mais c'est aussi un lieu de repos, un refuge contre toutes les horreurs du monde extérieur. En cultivant son jardin, Candide se met à l'abri de toutes les atrocités qu'il a connues…

Lorsque je le vis changer de visage, je sus que j'avais frappé juste. Je baissai les yeux et je poursuivis :

— Cette histoire de jardin, c'est aussi une pique contre la religion. La religion enseigne que nous serons heureux au paradis, après avoir vécu bien des misères sur terre. Vous, monsieur, vous dites que le paradis peut se trouver, de notre vivant, dans notre jardin, et que c'est à nous de l'y découvrir et de l'entretenir.

M. Wagnière s'était arrêté d'écrire pour écouter, Maman Denis en resta bouche ouverte, sa tapisserie à la main. M. de Voltaire avait les yeux qui brillaient de larmes retenues ! Ah ça ! J'étais contente de moi !

— Parfait, me fit-il, ému. Vous avez tout compris. Je vous remercie d'avoir analysé, avec vos mots si simples, une pensée pourtant si compliquée. Venez là que je vous embrasse.

Et il me baisa au front, comme un bon père de famille, fier de son enfant.

Non, ce ne sont pas mes peines de cœur qui m'ont rendue tout à coup si intelligente ! Je n'ai pas non plus été subitement touchée par la Grâce, comme les

144

saints. Pas plus que je n'ai été frappée d'un coup de baguette magique par la fée des Écrivains !

Point du tout.

En fait, peu avant midi, Agathe était entrée dans ma chambre. Elle m'avait trouvée désemparée devant *Candide,* et m'avait expliqué ce que je n'avais pas compris. Chose incroyable, ma soubrette savait lire et écrire. Barbara, la servante en chef, le lui avait appris aux cuisines.

— C'est donc cela, la philosophie ? m'étonnai-je.

Agathe se mit à rire.

— Bien sûr ! Ce n'est que du bon sens et un peu de réflexion. Tout le monde en fait sans le savoir.

Puis elle ajouta avec modestie :

— Moi, regardez, à force de vivre chez M. de Voltaire, à force de l'écouter parler avec ses amis, de jouer au théâtre avec eux, j'ai fini par retenir quelques petites choses.

J'étais admirative. Dire que j'avais la chance d'être invitée, de ne point avoir à travailler, et que je rechignais à apprendre ! Agathe, elle, le faisait par plaisir. Et je constatai qu'elle en savait bien plus que moi. Cela me fit honte.

Je fermai les yeux, et je repensai au chemin parcouru. Comme Candide, j'avais trouvé mon jardin à Ferney. À moi de le faire fructifier, pensai-je avec émotion.

18

Hélas ! Mes bonnes résolutions durèrent ce que durent les roses... l'espace d'un matin, comme disent les poètes.

Sans vouloir me chercher d'excuses, M. de Voltaire en fut la cause. Le mois de mai pointait son nez, il faisait beau. Mon tuteur convoqua tout un bataillon de maçons à qui il ordonna :

— Démontez-moi cette église !

Le curé de Ferney manqua en avoir une attaque !

— C'est mon droit de seigneur, lui expliqua Voltaire. À sa place, je veux une belle grande allée bien droite, pour entrer dans mon château.

Maman Denis, outrée, s'écria :

— Je ne veux pas en voir davantage ! Je file aux cuisines.

— Moi je reste, lui dis-je. Il n'ira pas au bout de

ses projets. C'est encore une plaisanterie pour nous faire enrager.

J'avais tort. Le premier moment d'horreur passé, certains ouvriers se mirent à la tâche. Mais d'autres se joignirent au curé de Ferney et partirent se plaindre à celui de Moëns.

Alors, les murs tombèrent, les pierres tombales aussi.

— Monsieur, fit un contremaître, on ne peut continuer. On a déterré des ossements humains. Ce serait profaner les dernières demeures d'honnêtes catholiques.

Voltaire se pencha sur quelques os blanchis et fit la moue :

— Ossements humains, c'est vite dit. Ce ne sont là que quelques côtelettes de mouton… Poursuivez donc !

— Avez-vous donc perdu l'esprit ? lui lançai-je dès que nous fûmes seuls. C'est un cimetière. On ne déplace pas un cimetière !

— Mais non, il s'agit juste de côtelettes !

Une moitié de l'église était détruite lorsque le curé de Moëns se présenta avec son confrère de Ferney. Les deux hommes venaient récupérer le saint-sacrement[1]. Les ouvriers l'avaient déposé à l'abri, dans la salle de spectacle toute proche, ainsi que le confes-

---

1. Calice d'or contenant des hosties consacrées représentant le corps et le sang du Christ. Ce calice est l'objet le plus précieux et le plus vénéré d'une église. Les fidèles doivent s'agenouiller devant lui.

sionnal, la cloche et les quelques statues de plâtre écaillé que possédait l'église.

— Mécréant ! Mettre le saint-sacrement dans un théâtre !

— Mais… Dieu est chez lui partout ! jubila Voltaire. Comment trouvez-vous ma salle ? Bien sûr, ce n'est pas la Comédie-Française…

Tant d'irrespect les mit en fureur ! Ils convoyèrent alors le saint calice à Moëns, suivis par des paroissiens en larmes.

Cela amusa beaucoup Voltaire. Moi, pas vraiment.

— Vous êtes méchant ! lui lançai-je. Vous allez obliger vos pauvres villageois, déjà fatigués par un dur travail, à se rendre à la messe à Moëns, à pied à une lieue[2] ! Ne venez plus me dire que vous aimez vos paysans !

Il me regarda, tout étonné que je lui résiste. Mais, ma foi, il fallait que quelqu'un le lui dise.

— Je n'y avais pas songé, avoua-t-il en baissant le nez. Je les ferai conduire en voiture. Êtes-vous satisfaite ?

Une grande croix de bois marquait encore l'entrée du cimetière. Il ordonna :

— Ôtez cette potence de ma vue !

Ah ! l'horreur ! Comparer la Sainte Croix à un gibet ! J'en restai sans voix ! Ah ! l'énorme blasphème ! Les deux curés revinrent au pas de charge !

---

2. Environ quatre kilomètres.

Et, cette fois, ils étaient accompagnés du lieutenant criminel et de l'évêque...

Ce sacrilège pouvait se payer d'une sentence de mort[3]. Je pense que Voltaire ne le comprit que trop tard. J'entendais sous nos fenêtres quelques excités qui criaient : « Qu'on brûle cet impie ! » D'autres braillaient : « Qu'on le pende ! »

J'avais grand-peur. Je lui secouai le bras et le suppliai :

— Dites que vous regrettez ! Dites-leur, bon sang ! Ils vont vous faire un mauvais procès et vous exécuter !

— N'ayez aucune crainte, se moqua-t-il à demi, le vieux Voltaire n'est pas encore mort. Je vous aime trop, Cornélie, pour vous abandonner.

Et il se défendit avec cette verve qui lui était coutumière.

— Ma langue a sûrement fourché, fit-il d'un air benêt au lieutenant de police. Lorsque j'utilisais le mot de potence, je ne voulais aucunement offenser la religion... Une potence est aussi une pièce de bois en équerre, fort utile pour étayer une construction... C'est à cela que je me référais.

Pour une fois, il ne parla pas « d'Infâme » et il parvint même à retenir ses railleries habituelles. Après

---

3. Aujourd'hui, des peines aussi lourdes nous étonnent. Ainsi, en 1766, trois gentilshommes furent condamnés à mort pour ne pas s'être agenouillés devant le passage du saint-sacrement. Un s'enfuit à l'étranger, le deuxième fut relâché à cause de son jeune âge (quinze ans), mais le troisième, le chevalier de la Barre, âgé de vingt ans, fut décapité.

maintes excuses, promesses, et ronds de jambe, tout le monde consentit à rentrer chez soi.

Il fallut encore que mon tuteur envoie au pape, par l'intermédiaire de M. de Choiseul, le secrétaire d'État chargé des Affaires étrangères, un plan de sa nouvelle église, accompagné de son plus profond respect.

Nous vécûmes dans l'angoisse jusqu'à ce que l'accord du Saint-Père arrive. Il ordonnait à Voltaire de… rebâtir la chapelle au même endroit. Ce qu'il fit.

Adieu sa belle allée pour entrer au château !

À la grande déception des catholiques fanatiques, on ne brûla pas M. de Voltaire cette fois-là : l'affaire était close.

19

J'avais longtemps redouté que M. Dupuits vienne me voir ; il ne vint pas. Sur le moment, je ne sais si j'en fus vexée ou soulagée.

Le pauvre perdit sa mère peu après notre représentation. Elle était, me dit-on, souffrante et retirée du monde depuis très longtemps. Comme M. Dupuits était en deuil, il resta chez lui jusqu'à ce que son régiment le rappelle sur le front de Westphalie.

Je pris alors maintes bonnes résolutions : tout d'abord de ne plus penser à notre voisin, de l'oublier à jamais. Et je me justifiai, en faisant preuve de philosophie :

— Aimer un homme marié est pure folie.

J'ajoutai pour faire bonne mesure :

— Aimer un soldat, est aussi pure folie. Les soldats se font tuer à la guerre, et leurs épouses vivent dans l'angoisse d'un possible trépas.

Puis, je nous imaginais, la jeune Mme Dupuits et moi, vêtues de noir, le pleurant devant sa tombe...

— Ce serait d'un grotesque ! Oublions-le !

Hélas ! Cela ne m'empêcha pas, chaque dimanche, de prier à la messe pour un certain officier, un cornette de dragons[1], en tout bien tout honneur, cela va de soit.

*
* *

Cet été-là, M. de Voltaire improvisa un théâtre en plein air, dans le jardin, où nous montions de courtes pièces.

Il me donna à apprendre de petits rôles dans des comédies de Molière. Jouer me plaisait beaucoup, même si je n'étais pas encore très à l'aise. Je devins ingénue ou soubrette.

J'aimais ces personnages un peu naïfs, mais pleins de bon sens. Nous jouions devant les domestiques et les villageois, des gens comme moi, fort simples, qui riaient à gorge déployée. Cela m'aida beaucoup à me donner confiance. J'y gagnai en assurance, et j'appris maints mots de vocabulaire et tournures de phrase, rien qu'en m'amusant.

1. Soldats. Les dragons précédaient les troupes, pour faciliter leur progression. Ils dégageaient les routes et construisaient des ponts, comme aujourd'hui les régiments du génie. Jusqu'au XIXᵉ siècle, les officiers étaient à cheval et les simples soldats à pied. Ensuite, les dragons devinrent des régiments de cavalerie.

Je découvris, émerveillée, que même si je n'étais pas encore un cheval de course, au moins n'étais-je plus un âne.

— Cornélie-Chiffon ! me lançait mon tuteur. C'est à vous ! Ne nous faites pas languir !

Je me défendais comme un beau diable :

— Je le connais ! C'est juste que j'ai oublié… trois mots.

— Trois ? se moquait-il. Moi, je dirais quinze ou vingt !

Maman Denis ou Agathe me soufflaient alors mon textc, et je tapais du pied comme une enfant :

— Mais non, enfin, ne m'aidez pas ! Puisque je vous dis que je connais cette tirade ! Je l'ai sur le bout de la langue.

— Montrez pour voir, plaisantait M. de Voltaire en faisant mine de me faire ouvrir la bouche.

Alors j'éclatais de rire, ce qui le mettait aussi en joie. Il me pinçait la joue et me glissait :

— Petite Chimène, que j'aime votre gaieté !

*
* *

C'est aussi cet été-là que M. de Voltaire se lança dans une vaste entreprise littéraire. Il avait obtenu de l'Académie française le droit de publier un ouvrage savant sur l'œuvre de Pierre Corneille, mon presque ancêtre. Ces *Commentaires*, me dit-il, constitueraient ma dot.

J'allais avoir une dot, moi, Marie-Françoise Corneille, vannière d'Évreux, née dans la misère !

— Il est temps de prévoir votre établissement, me confia-t-il. Je ne parle pas, naturellement, d'une union avec un hobereau rustique fleurant bon le crottin, comme la dernière fois… Non, je chercherai pour vous la crème des philosophes, un érudit qui connaît Virgile et Homère sur le bout des doigts.

Je pris peur ! Pour moi, un philosophe était un homme quasi centenaire et édenté… comme lui, ou comme M. de Fontenelle. Après un paysan, voulait-il que j'épouse un vieillard ? Mais je me rassurai vite, car des lettrés dînaient souvent à notre table : beaucoup n'avaient pas trente ans, et j'en trouvais quelques-uns plutôt beaux garçons, assez même pour me faire oublier un certain cornette de ma connaissance.

— Nous pourrons compter sur trente à quarante mille livres[2] d'ici deux à trois ans, me glissa-t-il en me tapotant la main.

Je manquai m'étouffer ! C'était une dot digne d'une marquise ! Pleine d'émotion, je balbutiai :

— Monsieur… c'est trop.

— Comment cela, trop ? s'étonna-t-il, faussement vexé. La fille adoptive du grand Voltaire et la nièce du grand Corneille ne méritent-elles pas une telle dot ?

Et il me confia, ému :

---

2. Il s'agit là de monnaie.

154

— Petite Corneille, depuis que vous vivez sous mon toit, la vie est pour moi comme un grand vent d'air pur. Vous m'avez… « encorneillée » !

Puis il plaisanta pour donner le change :

— Il faudrait vous trouver, comme époux, un descendant du grand Racine. Ah ! Quel rejeton admirable vous pourriez nous donner ! L'Académie n'aurait qu'à bien se tenir !

20

— Monsieur n'est pas encore levé ?

— Non. Monsieur se meurt.

Maman Denis et moi criâmes d'une même voix :

— Encore !

Nous le trouvâmes à geindre dans son lit, son bonnet rabattu jusqu'aux yeux, et les couvertures sous le menton.

— Appelez un prêtre, je veux me confesser..., nous dit-il.

Je me mis à rire, tant ses propos paraissaient incongrus.

— Moquez-vous ! me lança-t-il. Vilaine bête !

J'avoue que ce n'était guère charitable. Pour me faire pardonner, je lui servis une tasse de café, qu'Agathe avait posée sur un guéridon. Le médecin le lui avait interdit, mais je savais qu'il en raffolait. De son côté, sa nièce lui prit le pouls :

— Vous n'avez pas de fièvre.

— Forcément... Je suis presque mort et déjà froid.

Il argumentait, c'était bon signe. Cela nous conforta dans l'idée qu'il allait bien.

— Que vous arrive-t-il, cette fois-ci ? lui demanda Mme Denis comme à un enfant capricieux.

Il refusa mon café, et finit par répondre, bougon :

— Je suis un vieux hibou qui s'ennuie et qui n'intéresse personne...

— Quoi ? s'indigna sa nièce. Nous jouons sans cesse au tripot. Et du Molière, que vous adorez. La maison ne désemplit pas. On vous encense, on vous vénère à la façon des idoles... D'ordinaire, vous en roucoulez de plaisir.

— Tous ces admirateurs m'ennuient. Molière aussi. Et je n'aime les louanges que si elles sont spirituelles. À ce propos, est-il encore là, le jeune sot poudré qui me compara hier à « une grande chandelle éclairant l'univers » ?

— Parti, lui dis-je. Maman Denis l'a remis dans sa voiture.

— Tant mieux. J'ai cru mourir de souffrir ses âneries.

— Et vos *Commentaires* sur Corneille ? questionna sa nièce. N'avez-vous pas envie d'y travailler ?

— J'ai déjà écrit quatre volumes ; c'est d'un ennui. Si ce n'était pas pour la dot de la petite, j'arrêterais là ce pensum. Mordieu que je m'ennuie !

Je tentai à mon tour :

— Voulez-vous que je vous fasse la lecture ?

157

— Dieu m'en préserve ! C'est fort gentil, se reprit-il, mais vous lisez encore mal à voix haute. D'ailleurs, vous n'avez pas lu le dixième des livres que je vous ai conseillés.

Je baissai le nez, car ce n'était que trop vrai. J'avais à présent dans mon armoire une belle pile d'ouvrages qui ne me servaient à rien, et qui transformaient ma chambre en une véritable annexe de la bibliothèque.

Il y en avait pourtant un qui me passionnait, mais je ne pouvais lui en parler. Agathe l'avait « volé », l'avait dévoré en cachette et, débordante d'enthousiasme, me l'avait donné à lire. Ce que j'avais fait avec le délice du fruit défendu.

Ce livre, écrit par « Jean-Jacques », était proscrit, exécré, condamné à Ferney. M. de Voltaire n'aimait pas M. Rousseau. Mon tuteur y avait d'ailleurs annoté en marge bon nombre de critiques toutes aussi ironiques que méchantes.

Ce roman s'intitulait *Julie ou la Nouvelle Héloïse*. Il s'agissait d'une histoire sentimentale poignante. Elle me bouleversait, peut-être à cause de mes récentes peines de cœur.

— Si nous sortions ? proposai-je. Promenons-nous aux champs. Prenons votre cabriolet.

— Ah ! la bonne idée ! D'accord.

Le cabriolet ne comportait que deux places. M. de Voltaire menait fort bien son cheval, et même plutôt vite pour un vieil homme.

Nous partîmes sur les routes, avec un chaud soleil de septembre pour nous accompagner. Sur notre passage, les paysans nous adressaient de grands gestes amicaux.

Depuis que M. de Voltaire était devenu leur seigneur, leur vie s'était considérablement adoucie. Leur maître asséchait les marais et défrichait les bruyères pour leur offrir de beaux pâturages. Il faisait construire pour eux de nouvelles maisons et une fontaine. S'il n'y avait eu cette histoire d'église détruite, ils auraient été au paradis !

— Je vais leur demander de planter davantage de lentilles et de pois, me dit-il. Il n'y a rien de mieux pour lutter contre la famine[1]. J'envisage aussi de lancer la culture des vers à soie à Ferney, et peut-être d'ouvrir des ateliers d'horlogerie. Les Suisses sont renommés pour leurs montres, nous pourrions profiter de leur expérience. Cela permettrait à mes paysans de gagner plus d'argent.

Il soupira et poursuivit :

— Trouvez-vous normal qu'ils meurent de faim, alors qu'ils cultivent la terre et font manger les autres ?

— Certes pas !

— L'État les oppresse d'impôts… Diantre, qu'est-ce ?

Nous avions dépassé le village d'Ornex. Au bord de la route, un homme se tenait accroupi près de son

---

1. À cette époque, la culture de la pomme de terre n'avait pas encore été développée. L'hiver, la population se nourrissait essentiellement de légumes secs.

cheval. L'animal était une bête de race, et le cavalier n'avait rien d'un paysan. Je sentis une sueur froide me glisser le long de l'échine, lorsque je reconnus… Claude Dupuits de la Chaux.

Mes résolutions de ne plus penser à lui s'envolèrent en un instant. Mon tuteur tirait déjà sur les rênes. Nous nous arrêtâmes à la hauteur de notre voisin.

— Monsieur Dupuits ! lui dit-il avec bonne humeur. Que vous arrive-t-il donc ?

Après nous avoir salués, le jeune homme montra un sabot de sa monture :

— Mon cheval a perdu un fer. Il boite.

— Attachez votre animal à ma voiture, proposa M. de Voltaire. Montez avec nous. Je vous raccompagne.

Je me taisais et n'osais même pas le regarder. Il finit par grimper, pour se coller contre moi dans l'espace réduit du cabriolet. Cela le fit rire :

— Voilà qui me rappelle un certain voyage en diligence.

Je lui répondis par un sourire aussi figé que gêné.

— L'armée vous a donc lâché ? lui demanda mon tuteur.

— Par force, expliqua Claude Dupuits. Mon régiment a été décimé à la bataille de Willingshausen, voilà deux mois. Nous ne sommes qu'une poignée à en avoir réchappé.

Je ne pus retenir un cri. Je cachai ma bouche de ma main, mais il avait entendu. Il se tourna vers moi :

— Je ne voulais pas vous effrayer, mademoiselle,

mais ce n'est que la dure réalité de la guerre. Le prince de Soubise, dont je dépends, nous a donné congé jusqu'au printemps.

— Quelle boucherie, soupira M. de Voltaire. Cette guerre est menée par des incompétents. Nous sommes en train de sacrifier la fine fleur de notre jeunesse, et de mettre notre économie à genoux !

— Hélas, monsieur, vous avez mille fois raison. Je suis rentré voilà deux jours, poursuivit-il avec un bon sourire. Je m'apprêtais à vous rendre visite cette semaine.

— Nous en serions ravis ! répliqua mon tuteur. Amenez-nous donc votre ravissante Marie-Jeanne.

Je retins mon souffle. Elle s'appelait Marie-Jeanne. Connaître le prénom de son épouse me provoqua une effroyable jalousie qui me tordit les entrailles. Je tâchai malgré tout de faire bonne figure, d'autant que M. de Voltaire se tournait vers moi pour me confier :

— Elle est adorable. Je l'ai surnommée « mon petit pâté ». En représailles, elle me nomme « méchant papa ». Ne vous en offusquez pas, il ne s'agit là que d'un jeu. Ma nièce m'en fait souvent reproche, mais je ne peux m'empêcher de taquiner cette chère Marie-Jeanne.

Je marmonnai une réponse inaudible. Sans la connaître, je la détestais. Maman Denis avait raison : comment un homme dans la position de M. de Voltaire pouvait-il appeler l'épouse de son voisin « mon petit pâté », sans que cela prête à confusion ? Mais Claude Dupuits répondait :

161

— Marie-Jeanne sera ravie. Elle adore se chamailler avec vous.

Nous nous arrêtâmes au hameau de Maconnex, au bout d'une allée bordée d'arbres. Entre leurs feuilles, on distinguait un grand manoir aux allures cossues.

— Vous voilà arrivé.

Tandis que Claude Dupuits détachait son cheval, M. de Voltaire lui proposa :

— J'envisage de monter une de mes vieilles tragédies, *Mérope*. Cela vous dirait-il, à vous et au petit pâté, de participer ?

— Avec grand plaisir, monsieur !

Je vis les yeux de notre voisin briller. Moi, les mâchoires serrées et les entrailles nouées, je me demandai comment j'allais supporter cette cohabitation.

Le retour à Ferney fut affreux. Je sombrai dans un mutisme qui n'échappa pas à M. de Voltaire. Toutes ses tentatives de conversation se soldèrent par des réponses lapidaires. Il ne devait rien y comprendre, et je n'avais aucune envie de l'éclairer.

— Qu'avez-vous lu dernièrement ? me lança-t-il, à bout de ressources, avec le ton horripilant des salons mondains.

C'était le pire sujet qu'il pouvait aborder !

— Rien de bien intéressant…

— À ce propos, il manque un livre dans ma bibliothèque. Vous n'auriez pas vu le dernier torchon de « Jean-Jacques » ?

Son allusion me hérissa. Tout d'abord parce qu'il se doutait que je l'avais emprunté, ensuite parce qu'il qualifiait *Julie ou la Nouvelle Héloïse*, ce magnifique roman, de torchon.

— Effectivement, il se trouve dans ma chambre, avouai-je du bout des lèvres. Je l'ai adoré. Et ce n'est pas un torchon.

Je ne saurais dire ce qu'il pensa à ce moment-là. Pas du bien, en tout cas. Le cheval fit une embardée qui manqua nous envoyer dans le fossé. Il finit par l'arrêter et se tourna vers moi, sourcils froncés :

— Vous avez donc aimé ce galimatias ? L'histoire malsaine d'une élève qui couche avec son précepteur ? Est-ce une lecture pour une jeune fille ? s'indigna-t-il ensuite.

— Ah, cela vous va bien de donner des leçons de morale ! Vous qui avez eu des liaisons avec des femmes mariées, et même avec…

— Ma vie privée ne vous regarde pas ! s'emporta-t-il.

Je sursautai tant il cria fort. Je ne savais plus que dire, cependant je refusai de lui laisser le dernier mot. Je finis par pester d'un ton bougon en levant haut le menton :

— Ce n'est pas parce que vous n'appréciez pas M. Rousseau que je dois vous suivre dans vos goûts.

— Jean-Jacques est un imbécile. Et, de plus, un imbécile envieux et détestable. C'est lui qui pousse les prédicants de Genève à brûler mes tragédies et à fermer les théâtres ! Il a écrit maintes choses désagréables sur moi et sur mon œuvre…

— Vous en avez fait tout autant sur lui et sur la

163

sienne, le coupai-je à mon tour avec colère. Je préfère mille fois le *Julie* de M. Rousseau à vos pièces pompeuses et ennuyeuses !

— Dieu que vous me décevez.

C'est lui qui eut le dernier mot. Sa réplique me blessa, mais je la méritais grandement. Rien n'aurait pu me défendre. Aurais-je dû lui expliquer que j'étais jalouse qu'il appelât la femme de Claude Dupuits « mon petit pâté », alors que je n'avais droit qu'à Rodogune ou Chimène, des noms de tragédies vieilles d'un siècle ? Que j'étais anxieuse à l'idée de partager la scène de « notre » tripot avec eux ?

C'est que je l'aimais, ce vieillard ridicule. Lui et sa nièce étaient devenus ma famille. Il lança un « hue » hargneux, fit claquer les rênes sur la croupe du cheval qui se mit au trot, et ne m'adressa plus la parole.

— Pardon, lui glissai-je en arrivant. Je regrette de vous avoir déçu.

Il hocha la tête d'un air peiné et m'ordonna :

— Vous êtes priée de ramener ce livre à M. Wagnière. À la place, il vous donnera *Mérope*. Vous apprendrez le rôle d'Isménie. Je sais que mes tragédies vous paraissent assommantes, cependant j'entends que vous connaissiez votre texte sur le bout des doigts. Faites-le au moins par respect pour les autres acteurs, qui auront pris la peine de travailler.

Je soupirai de soulagement. Le vieux bonhomme était déçu et vexé, mais il ne m'avait pas complètement rejetée.

— Je l'apprendrai. Vous pouvez compter sur moi.

21

Trois jours plus tard, je serrai les poings – et les dents – lorsque je vis la voiture des Dupuits passer le porche. Une espèce de feu follet brun aux yeux bleus en sauta.

Marie-Jeanne Dupuits portait une « tronchine » marine rayée de blanc, un chapeau de paille garni de rubans et des talons plats : on aurait dit une enfant ! Elle poussa un cri ravi en m'apercevant, et m'embrassa sur les deux joues sans que je puisse la repousser. Puis elle courut vers M. de Voltaire pour lui sauter au cou. « Sauter au cou » est une expression, bien sûr, car en fait, elle était aussi grande que lui.

— Mon cher méchant petit papa ! s'écria-t-elle. Claude a dit que vous désiriez nous embaucher au théâtre...

Mais Claude s'approchait de moi, son chapeau à la main.

165

— Marie-Jeanne est très exubérante, s'excusa-t-il en me souriant. Il ne faut pas lui en vouloir. Elle a passé ces dernières années auprès de ma mère malade. Ce n'était pas d'une grande gaieté pour une jeune personne de son âge.

Je le trouvai bien indulgent ! Mme Dupuits arrangeait à présent le bonnet de M. de Voltaire sur sa perruque, comme une petite fille qui joue avec sa poupée. Elle lui planta un baiser sur le front avant de le tirer sans façon par la manche.

Jamais, au grand jamais, je ne me serais permis de telles familiarités ! Et lui n'arrêtait pas de répéter de stupides « Ah ! mon petit pâté ! Ah ! mon petit pâté ! » à n'en plus finir. J'en fus scandalisée, horripilée. Jalouse ! Oh oui, jalouse ! Je leur aurais volontiers arraché les yeux.

Je n'étais pas la seule, car Maman Denis arrivait avec son sourire figé des mauvais jours.

— Allez-vous cesser ! lança-t-elle à Mme Dupuits avec dans la voix un flot de hargne mal contrôlée. Un peu de tenue !

Autant l'avouer, Mme Denis et Voltaire étaient plus qu'un oncle et sa nièce. Ils étaient amants depuis de nombreuses années, bien qu'ils s'en défendissent pour sauvegarder les apparences[1].

— Depuis la mort de ma mère, poursuivit Claude Dupuits, Marie-Jeanne est au couvent, ce qui ne

---

1. Leur liaison commença en 1745. Marie-Louise Denis devint la compagne de Voltaire à partir de 1749, jusqu'à la mort du philosophe, hormis une brouille en 1768, où elle le quitta et rentra à Paris.

lui plaît guère. Je l'en ai sortie dès mon retour de l'armée.

Il me fallut un certain temps pour comprendre ses mots. Pourquoi parlait-il de couvent ? Il enfermait donc sa femme lorsqu'il partait ? Voilà une attitude vraiment étrange pour un jeune époux !

— Au couvent ? parvins-je à répéter avec une grimace.

— Bien sûr, me répondit-il, tout étonné de ma réaction. Je ne peux laisser ma sœur seule à la maison.

— Votre sœur ?

Je faillis en tomber par terre !

— Oui, me fit-il en riant, ma sœur. Qu'avez-vous donc cru ? Elle a quatorze ans.

Je manquai d'air. Puis je me sentis pousser des ailes ! Marie-Jeanne me sembla tout à coup… amusante, originale, très espiègle et si spontanée ! Je lui adressai mon plus beau sourire, tant j'étais heureuse.

— Votre sœur est charmante, dis-je à Claude d'un ton radouci. Je crois que M. de Voltaire souhaite lui faire faire de la figuration dans *Mérope*. Lui jouera Arbas, Mme Denis la reine, et moi Isménie. Vous serez Érox.

— Le favori du méchant ? répliqua-t-il, ravi. Parfait ! Il me tarde de travailler mon texte.

— M. de Voltaire vous en donnera une copie.

Moi, je commençais tout juste à apprendre mon rôle. Naturellement, je mettais un point d'honneur à satisfaire mon tuteur, bien que l'intrigue et, plus encore le style, soient ennuyeux à périr.

— Quelle belle histoire antique, me glissa Claude. J'ai vu *Mérope* à Paris, l'an dernier, en rentrant de Westphalie. C'est une des meilleures tragédies de notre maître.

— Vraiment ? m'étonnai-je avec une grimace.

Il l'avait donc aimée ? Je me promis aussitôt de relire la pièce plus sérieusement.

*
* *

Les répétitions commencèrent dès le lendemain. Je vous ferai grâce de l'histoire de *Mérope*, une sombre vengeance familiale où une reine grecque veut faire tuer un inconnu, qu'elle prend pour l'assassin de son fils disparu.

J'y jouais la confidente de la reine. Mon rôle se résumait à quelques répliques, par-ci par-là, hormis une très longue tirade de cinquante-six vers.

Grâce à Claude Dupuits, j'y fis merveille. Comme j'ânonnais mon texte, timide et empruntée, mon tuteur me houspilla :

— Quelle mollesse ! Mordieu ! Pensez un peu aux spectateurs qui se trouveront au fond de la salle ! Ils croiront que vous faites le mime ! Encore que pour cela, il faudrait que vous bougiez.

Cependant, je ne comprenais pas ce qu'il attendait de moi. Et, parce que nous étions toujours en froid, je n'osai pas le lui demander. Lors d'une pause, Claude Dupuits me prit à part :

— Allons, mademoiselle ! Isménie, votre personnage, vient d'assister à une scène horrible. On dirait que vous restez là, à pleurnicher. Au contraire, il faut vous révolter. Sortez la colère qui est en vous ! Criez-la à la face du monde !

Sur le moment, j'en fus surprise.

— C'est que, monsieur, je ne joue d'ordinaire que des comédies de Molière. Je n'aime guère les alexandrins et les tragédies.

Il se mit à rire, ce qui ne me vexa pas le moins du monde, tant le rire lui allait bien.

— Marie... Puis-je vous appeler Marie ? Ne tenez pas compte des alexandrins. Dites-les comme s'ils étaient en prose.

Je n'y aurais jamais pensé ! Je repris aussitôt mon texte, et le relus d'une façon toute différente, naturelle. Le résultat s'en ressentit immédiatement.

— Ah..., fit simplement M. de Voltaire, l'air ravi. Voilà qui est bien mieux.

Puis, oubliant notre querelle, il m'ordonna :

— À présent, mêlez-moi des larmes à votre révolte.

Ce que je fis :

— « *Parmi les combattants je vole, ensanglantée...*
J'interroge à grands cris la foule épouvantée.
Tout ce qu'on me répond redouble mon horreur !
On s'écrie : "Il est mort, il tombe, il est vainqueur !"
Je cours, je me consume, et le peuple m'entraîne... »

169

— Que c'est beau ! Ah que c'est bien dit ! cria-t-il.

À la fin de la scène, je m'éclipsai en coulisse. M. Dupuits y était, un grand sourire aux lèvres. J'osai lui glisser :

— Merci... Claude.

*
* *

Comme pour *Candide*, nous eûmes une centaine de spectateurs. J'obtins un vrai succès. M. de Voltaire ne tarissait pas d'éloges sur mes qualités de tragédienne. À l'entendre, j'avais mieux joué que les acteurs de la Comédie-Française ! Je pense que l'affection qu'il me portait aveuglait un peu son jugement. Claude, lui, se tira très bien de son personnage d'Érox. Quant à Marie-Jeanne, on la trouva fort gracieuse en esclave tenant un grand éventail de plumes.

La pièce fut suivie d'un souper.

— Monsieur de Voltaire n'est pas là ? s'étonna Claude, alors que nous prenions place à table.

Tandis qu'il m'aidait à m'asseoir, je lui glissai :

— Monter sur scène lui demande beaucoup d'énergie, et l'épuise. Il s'est retiré dans ses appartements. Nous ne le reverrons que demain.

Le repas fut des plus agréables, Claude était un voisin charmant. Il aborda, pour me plaire, maints sujets légers. Au dessert, pourtant, il me parla de sa famille. Face à nous, Marie-Jeanne minaudait et jouait la coquette. Malgré ses quatorze ans, les messieurs la

170

courtisaient. Comment s'en étonner ? Elle en paraissait dix-huit, et était d'une grande beauté.

— Lorsque la guerre reprendra, au printemps, m'expliqua Claude, je me doute qu'elle n'aimera pas retourner au couvent. Je ne pourrai l'éviter. Déjà, mon tuteur…

— Vous aussi, vous avez un tuteur ?

Claude se mit à rire, d'un rire désabusé :

— Curieux, n'est-ce pas ? J'ai vingt-deux ans[2], c'est-à-dire l'âge de mourir au combat, mais pas celui de m'occuper ni de mes affaires, ni de ma sœur. Depuis la mort de mon père, je suis sous la tutelle de mon oncle Jean-Gaspard. Or, il est marin, et ne rentre que tous les quatre mois. Autant dire qu'il ne gère guère nos terres ! Bref. J'ai sorti Marie-Jeanne du couvent sans son accord. La mère supérieure a accepté, car elle sait notre attachement l'un pour l'autre.

— Il n'y a aucun mal à cela.

— Si mon tuteur vient à apprendre que ma sœur fait du théâtre et que je la laisse aller au bal…, je crains qu'il n'exige son retour en pension.

Je repensai alors à ma propre jeunesse, passée dans la misère à tresser des paniers, à mendier trois sous pour satisfaire mes parents. Marie-Jeanne, elle, avait vécu une enfance sans père, auprès d'une mère malade, à attendre son frère parti à la guerre. Je comprenais parfaitement son envie de vivre et de rire.

_____

2. Au XVIIIe siècle, la majorité était à vingt-cinq ans pour les hommes et vingt et un ans pour les femmes.

— Laissez-la donc profiter de ces moments d'insouciance, lui soufflai-je.

Il me regarda, étonné. Puis il me confia :

— Je pense comme vous. Seulement ma famille préférerait que je l'enferme. Elle n'aime guère me voir fréquenter M. de Voltaire. Il paraît que cette maison sent le soufre.

Son explication me fit rire ! La stupidité de certains de nos voisins était sans bornes !

Le souper fut suivi par un bal. Même si je n'étais pas une bonne danseuse, je pris beaucoup de plaisir à me laisser guider par mon cavalier. Il ne me quitta pas de la soirée ! Enfin, si. Je me contentai de danses lentes, et abandonnai les rapides à Marie-Jeanne qui y excellait.

La nuit passa trop vite à mon goût. Nous vîmes pourtant, Claude et moi, l'aube se lever avec une sorte d'émerveillement. Hélas, le soleil mit fin à la fête. Les convives, repus de rires, de musique et de champagne, regagnèrent leurs voitures.

En partant, Claude me promit de revenir très vite.

22

Les mois s'écoulèrent. Une routine heureuse réglait à présent ma vie. Je passais mes matinées avec M. de Voltaire et, chaque après-midi, sa nièce m'enseignait tout ce qu'une dame bien née doit connaître.

L'après-midi était aussi le moment où notre philosophe faisait visiter ses jardins à ses invités. Il en venait de tous les coins d'Europe ! Il n'en recevait que quelques-uns et se contentait de saluer les autres. On aurait dit Louis XIV à Versailles, au milieu de ses courtisans !

Comme à la Cour, les éloges pleuvaient, pas toujours de bon goût. Un jour, un de ses admirateurs s'était jeté à ses genoux. L'homme était si ému qu'il ne cessait de répéter :

— Oh ! Mon Dieu ! Oh ! Mon Dieu !

Mon tuteur s'était mis à rire :

— Vous me gênez... Appelez-moi Voltaire.

Les soirées nous réunissaient autour de l'échiquier, avec le père Adam, ou de la table de trictrac, avec M. Wagnière. J'y devins de première force, ainsi qu'à la comète, un jeu de cartes très divertissant.

M. de Voltaire avait fait agrandir le tripot. Nous pouvions à présent y tenir à trois cents. Presque chaque semaine, nous montions sur les planches devant nos voisins, qui ne rataient pas une représentation. Je fis une apparition très remarquée dans *Le Droit du Seigneur*, une pièce récemment écrite par mon tuteur sur les abus de la noblesse. Je jouai Colette, une coquette, et lui nous fit mourir de rire dans le rôle du bailli.

En cette fin mars, nous répétions sa dernière tragédie, *Cassandre*[1], un drame mythologique qu'il avait écrit en six jours. Le théâtre rythmait nos vies. Et, quand mon tuteur n'était pas au tripot, il rédigeait ses *Commentaires* sur Corneille, ou il correspondait avec l'Europe entière.

Cependant, ce matin du mardi 23 mars 1762, la routine s'enraya. Tout avait pourtant bien débuté... Enfin presque :

— Hier, durant les répétitions, vous parliez de me composer un petit poème, me dit M. de Voltaire. Récitez-le-moi, Cornélie-Chiffon, cela me ferait plaisir.

— Effectivement, dis-je. J'avais prévu un quatrain... sans prétention... sur la campagne...

---

1. La pièce porta ensuite le nom d'*Olympie*.

J'étais bien embêtée car je n'avais encore rien écrit.

— Mais je l'ai oublié dans ma chambre, mentis-je avec aplomb. Cela commence par...

> *La nature est si belle... au creux de ce vallon,*
> *Comme... j'envie la bergère... qui mène ses...*

— Moutons ? persifla-t-il. Quelle inspiration ! Allez, soupira-t-il, je sais bien que vous n'aimez pas la poésie.

Il se tut, une voiture arrivait. Peu après, un valet annonça un certain M. Dominique Audibert.

— A-t-il pris rendez-vous ? demanda Voltaire en se tournant vers Wagnière. Audibert, qui est-ce ?

Son secrétaire haussa les épaules :

— Non, il n'a pas rendez-vous. Je crois qu'il existe une riche famille de commerçants de Marseille qui porte ce nom. Des huguenots.

Je vis mon tuteur s'énerver :

— Je n'ai rien à lui acheter. Et j'ai du travail avec mes *Commentaires*. Bon, soupira-t-il ensuite, recevons-le tout de même, puisqu'il vient de si loin.

Il s'agissait d'un jeune homme brun de vingt-cinq ans, plutôt bien de sa personne et vêtu à la façon austère des protestants. Après un salut, il se lança :

— Monsieur de Voltaire, je fais appel à vous, car je vous sais honnête et juste.

Mon tuteur poussa un soupir agacé. Il interrompit le visiteur d'un ton sec :

175

— Venez-en au fait, monsieur. Je suis âgé, le temps m'est compté.

Audibert parut surpris, mais il poursuivit :

— Je reviens du Languedoc, et je me rends à Genève. À Toulouse se sont passés des événements d'une rare violence et d'une rare cruauté. Un vieil homme a été roué…

Voltaire se leva, le menton haut.

— Je connais déjà tout de cette affaire, l'arrêta-t-il froidement. Le courrier arrive jusque dans nos montagnes, savez-vous ! Ce huguenot a été exécuté pour avoir assassiné son fils, qui voulait se faire catholique. Il n'a eu que ce qu'il méritait. Vous autres, les protestants, vous vous pensez sans doute au-dessus des lois ? En voilà assez, sortez, monsieur. Je ne pleurerai pas avec vous sur la mort d'un assassin d'enfant.

Le pauvre Audibert blêmit puis rougit, avant de partir sur un salut. Je ne sais trop pourquoi, je courus après lui :

— Monsieur ! Excusez-le, il a beaucoup de travail, et il n'est guère patient.

M. Audibert se retourna, son chapeau à la main. Son regard me chavira. Non à cause de sa beauté, mais parce que ses yeux étaient emplis de larmes.

— J'attendais beaucoup de cette rencontre, m'avoua-t-il. M. de Voltaire ne m'a même pas écouté.

J'étais émue malgré moi. Je le pris par le bras.

— Moi, j'ai tout mon temps, lui dis-je. Venez boire une tasse de café, vous me raconterez.

Ce qu'il me rapporta me fit froid dans le dos. Assis dans un petit salon, face à la cheminée, il commença :

— Je vis à Marseille et je fais des affaires à Toulouse. La famille Calas est on ne peut plus honorable. Ils vendaient du tissu. Lui se nommait Jean et sa femme, Anne-Rose. Ils ont eu six enfants. Leur seul tort est d'être protestants.

— Un tort ? m'étonnai-je.

— Comme vous le savez, nous n'avons pas le droit de pratiquer notre religion en France. Nous devons nous cacher pour le faire. On nous oblige à baptiser nos enfants et à nous marier à l'église... sous peine d'être bannis du royaume et de voir nos biens saisis. Or, le 13 octobre 1761, voilà six mois, Marc-Antoine, l'un des fils Calas, a été retrouvé mort, étranglé, au rez-de-chaussée de leur maison. Le capitoul[2] qui menait l'enquête ne chercha pas longtemps le coupable, car les voisins insinuaient que Marc-Antoine voulait se faire catholique. Ils ajoutèrent que Jean Calas avait sûrement assassiné son fils pour l'en empêcher.

J'approuvai de la tête. C'était ce que M. de Voltaire avait déclaré tout à l'heure. M. Audibert continua :

— Jean Calas clama son innocence. Mais, après quelques jours d'interrogatoire, il avoua qu'il avait menti : la famille avait découvert Marc-Antoine

_____

2. Les capitouls constituaient le conseil municipal de Toulouse. Leurs attributions étaient non seulement administratives, mais aussi judiciaires et militaires.

pendu dans la boutique. Le jeune homme s'était sui-
cidé, il n'avait pas été assassiné.

Je sursautai :

— On aurait donc condamné le père pour meurtre, alors que le fils s'était donné la mort ?

— Exactement, mademoiselle. Vous savez sans
doute que la justice traite atrocement les suicidés ?

— Oui, je l'ai entendu dire. À Paris, ou en Normandie, on leur fait un procès posthume pour « auto
assassinat », après quoi on les expose et on les enterre
sans sacrements.

— Eh bien, mademoiselle, à Toulouse, on les
traîne nus, sur une claie. Ensuite on les suspend par
les pieds à un gibet, puis on laisse leur corps pourrir
avec les ordures. Jean Calas ne pouvait accepter ce
sort pour son fils. Lorsque la famille a trouvé Marc-
Antoine mort, le père a décidé de faire croire à un
assassinat. Seulement, ce mensonge s'est retourné
contre lui.

— Personne ne l'a défendu ?

— Personne ! soupira-t-il. À Toulouse, on n'aime
pas les suicidés, mais on déteste encore plus les
huguenots. Cette ville s'estime la plus catholique, et
la plus pure de France. Il n'y a guère que trente foyers
huguenots dans ses murs. Mais il faut dire que, voilà
deux siècles, les catholiques y ont massacré quatre
mille protestants. Ils célèbrent ce carnage chaque
année, comme une grande fête et une grande victoire.

J'en restai bouche bée !

— Les Calas ont été emprisonnés, reprit M. Audibert. Pour la population, il n'y avait aucun doute, Marc-Antoine s'était converti. Ils en ont fait un martyr et l'ont enterré en grande pompe dans une église ! Les juges ont suivi. Après une parodie de procès, sans preuves, ils ont condamné Jean Calas à être roué vif. L'exécution a eu lieu ce 10 mars. Ses os ont été cassés un à un et, cependant, il n'a cessé de crier son innocence. Le bourreau l'a étouffé deux heures plus tard, puis son corps a été brûlé.

— Tout cela parce qu'il était protestant ? balbutiai je.

— Oui, mademoiselle, un innocent est mort par pur fanatisme. Mais ce n'est pas tout. Sa famille est toujours persécutée. Même leur servante et un de leurs amis, qui étaient présents ce soir-là. Tous les biens des Calas ont été confisqués.

Je ne réfléchis pas longtemps avant de décider :

— Je vais en parler tout de suite à M. de Voltaire.

Mon tuteur m'écouta à peine. Il m'asséna :

— Un huguenot fanatique de mort, c'est un huguenot de moins. Tant mieux. Ces gens-là se croient supérieurs aux communs des mortels, avec leur morale puritaine d'un autre âge. En plus, ils détestent le théâtre !

Pour lui, c'était la pire des insultes. Cependant, je n'avais pas envie de me taire. Je le bravai, poings sur les hanches.

— Et tous vos beaux enseignements ? m'écriai-je. Vous dites qu'il faut se battre contre les injustices, mais vous ne le faites pas ! Ah, s'en prendre au petit curé de Moëns, pour vous, c'est chose aisée… Mais devant les capitouls de Toulouse, vous faites profil bas !

Il me regarda, stupéfait. J'avais un peu honte de l'attaquer ainsi, mais j'étais déterminée à me faire entendre. Je me mis à marcher nerveusement dans la pièce :

— Ne m'avez-vous pas répété maintes fois que je devais penser par moi-même ? Eh bien, je le fais !

— Je vous ai dit cela, moi ? me répondit-il, une main sur le cœur, avec une mauvaise foi évidente. Vous devez vous tromper.

— Parfaitement, vous me l'avez dit ! Je viens d'entendre l'histoire d'un homme exécuté par fanatisme. J'en suis toute bouleversée. Et vous, le grand philosophe que l'Europe entière admire, vous restez le nez collé dans vos *Commentaires* de Corneille ?

— Il n'a pas été tué par fanatisme, me lança-t-il. Cet homme a eu un jugement équitable…

— Équitable ? Truqué, oui ! Sans preuves !

Il sembla déstabilisé. Je vis une lueur passer dans ses yeux si vifs. Il commençait à douter, je devais le convaincre. Comme je me savais peu douée pour argumenter, je choisis la ruse. Après tout, seul le résultat comptait !

— On ne cesse de dire que vous êtes contre la religion, poursuivis-je. En prenant la défense d'une pauvre famille victime du fanatisme religieux, vous pourriez clouer le bec de tous ceux qui vous accusent.

Seulement, vous ne le faites pas, et M. Audibert se rend à Genève demander de l'aide à... Jean-Jacques Rousseau. Lui n'est pas aussi obtus que certain philosophe de ma connaissance, il l'écoutera. Et il défendra les Calas. Tant pis pour vous et pour votre gloire.

Puis, je fis mine de m'en aller. Comme je l'avais espéré, au nom détesté de son ennemi, Voltaire se redressa comme un petit coq sur ses ergots. Il ne tarda pas à crier :

— Comment cela il va chez Jean-Jacques ? Ah ça non ! Courez me chercher cet Audibert tout de suite.

J'avais gagné.

23

Je fus ensuite témoin d'une incroyable transformation. Moi qui connaissais surtout M. de Voltaire comme un vieillard excentrique, amateur de bons mots, je découvris ce jour-là un homme tout différent, écoutant avec attention, bataillant avec rage, ne lâchant pas d'un pied ses convictions.

Je lui ramenai M. Audibert, qui lui rapporta mot pour mot ce qu'il m'avait dit. Pour moi, la cause des Calas était entendue : Jean, le père, était innocent. Pour Voltaire, la chose était loin d'être prouvée. Il se lança dans un interrogatoire serré auquel le commerçant se plia, tel un accusé.

— Les voisins ont affirmé que le fils allait se faire catholique.

— C'est faux ! répliqua le Marseillais. Marc-Antoine était un jeune homme intelligent et ambitieux. Il a fait de brillantes études pour devenir avocat.

— Où est le rapport ? le coupa Voltaire.

— En France, seuls les catholiques peuvent devenir avocats. Marc-Antoine y a renoncé, à contrecœur, pour ne pas abjurer sa religion. N'est-ce pas une preuve ?

— Certes. Mais pour se suicider, encore faut-il avoir des raisons.

— Marc-Antoine était malheureux, expliqua Audibert. Lui qui rêvait d'être avocat, devint simple vendeur chez son père. Cela lui donnait des idées noires, il traînait dans de mauvais lieux, il buvait. Le soir de sa mort, il est sorti jouer au billard avec une bourse pleine d'argent, qu'il devait remettre à la banque. On ne l'a pas retrouvée.

— Peut-être qu'un joueur aura suivi Marc-Antoine à son retour du cabaret, tentai-je. Il sera entré dans la boutique, derrière lui, pour le voler. Peut-être qu'il l'aura tué et pendu, pour faire croire à un suicide…

— Que de suppositions ! railla Voltaire. Eh bien, ne cherchez plus, le père aura assassiné le fils, parce qu'il avait joué et perdu l'argent du commerce.

— Que de suppositions ! raillai-je à mon tour, ce qui le fit me toiser méchamment.

— Vous vous trompez, monsieur, soupira Audibert.

— Peu importe, m'interposai-je. Admettons que le père soit coupable. Mais, vous semble-t-il normal que Mme Calas et ses enfants soient punis pour ce crime ?

Là, M. de Voltaire ne pouvait nier les faits. Cependant, il continua à argumenter avec force :

— Peut-être que la famille entière a participé à ce meurtre. J'ai entendu dire que les protestants se débarrassaient entre eux de ceux qui voulaient abjurer.

Je poussai un oh ! d'exaspération. Était-il donc aveugle pour ne pas voir la vérité ? Audibert soupira, effondré :

— Jusqu'où ira la calomnie ? Croyez-vous qu'un père, qu'une mère, aimant tendrement leur enfant, puissent l'assassiner pour une question de religion ? Nous prenez-vous pour des monstres ? C'est pure invention des fanatiques catholiques !

Et là M. de Voltaire resta muet.

Vers midi, le père Adam se joignit à nous, et je m'empressai de lui expliquer l'affaire. Mon tuteur, lui, ne me quittait pas des yeux.

— Imaginez la scène. Ce soir-là, les Calas soupent ensemble. Il y a les parents et deux de leurs fils, Pierre et Marc-Antoine, ainsi qu'un jeune ami de passage, Gaubert Lavaysse, tout juste arrivé de Bordeaux. Ils sont servis par Jeanne, leur servante...

— Une bonne catholique[1], ajouta Audibert. Elle a élevé les enfants. Vous pensez bien que, si elle avait appris que le père voulait tuer son fils aîné, elle aurait alerté la police.

— Merci de cette utile précision, fit Voltaire. Poursuivez, Rodogune, vous racontez à merveille.

---

1. La loi obligeait les protestants à avoir des serviteurs catholiques, censés surveiller leurs maîtres et les pousser à se convertir.

— Le repas fini, repris-je, fière de son compliment, Marc-Antoine part au cabaret, tandis que les autres restent à discuter au salon. Deux heures plus tard, la famille descend et fait la macabre découverte.

— En fait, expliqua Audibert, Pierre et leur ami Lavaysse descendent les premiers. Ils trouvent Marc-Antoine pendu dans la boutique et alertent Jean, le père, par leurs cris. Ils dépendent le jeune homme et essaient de le ranimer. N'y parvenant pas, Pierre court chercher un chirurgien, qui loge non loin. Son père lui ordonne : « Ne va pas raconter que ton frère s'est défait lui-même ; sauve au moins l'honneur de ta famille. » Et il décide de simuler un assassinat, afin d'éviter à Marc-Antoine le traitement honteux réservé aux suicidés. Mais, leurs cris, leurs pleurs, ont ameuté le voisinage. Le capitoul, David de Beaudrigue, ne tarde pas à arriver, accompagné de soldats.

— Les voisins, repris-je, lui ont aussitôt signalé que les Calas étaient huguenots et on les enferma tous, même la servante.

— Mais, monsieur Audibert..., s'étonna M. de Voltaire d'un air froid, plein de suspicion, d'où tenez-vous tous ces renseignements ? Vous nous racontez cette histoire comme si vous l'aviez vécue... Je croyais pourtant que l'instruction et les jugements des procès se déroulaient à huis clos ?

Le Marseillais se redressa, le menton haut :

— Vous avez raison, monsieur, aucune des pièces de ce procès n'a été rendue publique. J'ai eu la chance de rencontrer un greffier, un homme convaincu de

185

l'innocence des Calas. Il a assisté à la plupart des débats et des interrogatoires, et me les a rapportés. Et sachez, monsieur, que je ne suis ni un menteur, ni un affabulateur.

— Je vous crois, monsieur.

La conversation se poursuivit à table, puis tout au long de l'après-midi. On en oublia même nos répétitions au théâtre !

— Les enfants Calas ? Que faisaient-ils, ce soir-là ?

— Les deux filles séjournaient chez des amis, répondit Audibert. Donat, le plus jeune fils Calas, est apprenti à Nîmes. Aujourd'hui, la famille se trouve à la rue. Tous leurs biens ont été saisis, alors que seul Jean Calas a été reconnu coupable.

À ma grande joie, je vis mon tuteur sursauter.

— Si la justice a déclaré la mère et les enfants innocents, on aurait dû leur rendre leurs biens. C'est abuser ! Bon, récapitula Voltaire. Trois enfants étaient absents. Vous nous avez dit que Pierre et son ami Lavaysse avaient trouvé le corps de Marc-Antoine. Cela nous fait cinq enfants. Et le sixième ?

Audibert eut un geste de recul. Cela alerta notre accusateur qui se fendit d'un sourire de toutes ses gencives lisses.

— Louis.... ne soupa pas chez ses parents.

— Pourquoi ? insista mon tuteur.

— Oh, à quoi bon, soupira Audibert, autant vous l'avouer. Louis s'est fait catholique. Il ne voulait plus voir sa famille.

Voltaire se mit à rire franchement, ce qui me hérissa le poil, tant j'en étais mécontente.

— Et revoilà le fanatisme religieux ! déclara-t-il en levant les bras. Son fils Louis se fait catholique et Calas le renie. Voilà le mobile de ce meurtre ! Jean Calas avait déjà un fils converti, il n'a pas supporté la honte d'en avoir un second…

— Il n'en est rien, se justifia Audibert. Jean Calas était un homme tolérant. C'est Louis qui ne voulait plus voir ses parents, de peur de revenir à son ancienne foi.

Ensuite, nous allâmes souper. Voilà plus de dix heures que nous parlions du procès.

— Qu'a-t-on retrouvé au domicile ? demanda Voltaire. A-t-on une lettre du défunt, des preuves de son suicide ?

M. Audibert expliqua d'un air sombre :

— Il n'y a pas eu de perquisition. Tout du moins pas les premiers jours. On ne découvrit rien, hormis une courte corde, un billot et le bout de bois posé entre les deux battants ouverts d'une haute porte, où l'on avait trouvé Marc-Antoine pendu. Mais la maison était mal surveillée. Les gardes faisaient visiter le « lieu du crime » à qui le demandait. Il y eut même des curieux qui essayèrent de se pendre dans la boutique, pour voir si c'était possible, ou qui emportèrent des objets en guise de souvenirs !

— Mais alors, questionnai-je, sur quelles preuves a-t-on condamné Jean Calas ?

— Aucune. Et pourtant, les juges avaient réclamé qu'on lance un monitoire.

— La chose est peu courante, s'étonna le père Adam.

— D'après eux, répondit Audibert, le monitoire s'imposait, puisqu'il s'agissait d'un crime religieux.

— Qu'est-ce donc, un monitoire ? demandai-je.

— Une procédure judiciaire, m'expliqua le père Adam. Tout catholique possédant des informations doit aller les livrer à son curé, sous peine d'excommunication.

Puis il se tourna vers M. Audibert :

— Personne ne s'est présenté ?

— Seulement des catholiques, car les protestants n'ont pas eu le droit de témoigner. Il n'y eut que des ragots. L'un a affirmé que son frère avait entendu un homme raconter que Calas aurait dit à son fils : « Si tu ne changes pas d'avis, je te servirai de bourreau. » Une autre qu'elle avait entendu déclarer au marché, par un inconnu, que « Marc-Antoine craignait que son père ne le tue ».

— Ce ne sont pas des preuves, le reprit Wagnière. Cela ne compte pas.

— Hélas, soupira Audibert, cela compte. Un ouï-dire, pour la justice, vaut un quart de preuve, un bruit populaire un huitième de preuve. Or, quatre-vingt-sept personnes sont venues colporter leurs ragots[2]. Quatorze ont été considérées comme fiables. Cela fai-

_____
2. Un autre de ces témoignages : la veuve Massaleng déclara : « que

sait un total de deux preuves entières, soit l'équivalent de deux témoins oculaires. On a condamné à mort Calas là-dessus, par huit voix sur treize.

— Je n'aime guère vos mathématiques, dis-je en repoussant mon assiette, le cœur au bord des lèvres.

J'étais révoltée par ce que je venais d'apprendre. Mes compagnons de table aussi, même M. de Voltaire.

Nous allâmes nous coucher en silence. Cette nuit-là, je dormis peu. Le bourreau de Toulouse était dans tous mes cauchemars. Je le voyais rompre, à coups de barre de fer, les os de Jean Calas, attaché sur la roue. J'entendais ce malheureux clamer sans fin son innocence.

Au matin, je me promis de tout mettre en œuvre pour défendre cette famille.

---

sa fille lui a dit que le sieur Pagès lui a dit que M. Soulié lui a dit que Mlle Guichardet lui a dit que Mlle Jounu lui a dit quelque chose, d'où elle a conclu que le Père Serrant, Jésuite, pourrait bien avoir été le confesseur de Calas aîné (Marc-Antoine) ».

24

Je me levai avant le soleil. J'eus la surprise de trouver M. de Voltaire déjà debout, son café à la main. Il avait l'air aussi fatigué que moi. Sans doute, lui non plus, n'avait-il guère dormi. Vêtu de sa longue robe de chambre et de son inévitable bonnet, il s'approcha de moi, pour me dire :

— Je ne sais si ce Jean Calas est innocent, mais j'aime assez la façon dont vous le défendez. Cela dénote d'un grand et bon cœur, ma petite Rodogune.

— Ce cœur, monsieur, me dicte ma conduite, répondis-je simplement. On a tant fait pour moi. N'est-ce pas normal que je veuille, à mon tour, agir pour d'autres ? Or, cette famille a souffert bien des tourments. Elle a besoin d'aide, et nous devrions la lui donner.

Il soupira à fendre l'âme, puis il m'expliqua :

— Hélas, je ne suis ni justicier, ni avocat. Et avant de m'engager, j'aimerais avoir l'assurance que cet homme était innocent...

Mon cœur bondit dans ma poitrine ! Voltaire, le grand Voltaire me soutenait ! Folle de joie, je l'attrapai par les mains, le serrai contre moi, et je me mis à crier :

— Renseignons-nous ! Vous n'êtes point avocat, mais un grand écrivain. Écrivez, que diable !

Il se dégagea et me montra une mine sombre :

— Nous nous trouvons ici au bout du monde. Comment voulez-vous que j'entreprenne des recherches ?

Je vis en un instant mes projets s'effondrer. Mais la vision de Jean Calas mort sur la roue, et celles de sa veuve et ses enfants dans la misère me donnèrent des ailes :

— Qu'importe la distance ! Vous connaissez des gens à Toulouse, et des personnages influents à Paris. Et certains protestants de Genève faisaient sûrement des affaires avec Jean Calas. Ils vous diront quel genre d'homme c'était.

M. de Voltaire commença à rire.

— Vous avez raison. Je crie après les huguenots, mais j'en fréquente beaucoup de fort honnêtes, qui ne demanderont qu'à nous aider. Nous nous renseignerons. Allez me chercher Wagnière !

*
* *

Nous donnâmes *Cassandre* ce soir-là, devant trois cents personnes. Cinquante restèrent à souper, qu'il fallut faire danser ensuite. Comme je n'avais pas l'esprit à la fête, je m'éclipsai dès le rideau tombé.

Nous passâmes les jours suivants à écrire au sujet des Calas. Tous les grands noms de France eurent leur courrier, y compris le secrétaire d'État de la Religion prétendue réformée, M. de Saint-Florentin, qui avait supervisé le procès.

À Genève, nous contactâmes la communauté des huguenots français. M. de Voltaire réclama également l'aide d'un négociant de Montauban, une ville proche de Toulouse, afin qu'il s'informe sur cette affaire.

Nos premières lettres étaient parties, telles des bouteilles à la mer. Suivit une attente longue et frustrante.

Claude vint me rendre visite.

— Je ne vous ai pas vue le soir de *Cassandre*, se plaignit-il. Je pensais que nous danserions, mais vous n'étiez ni au souper, ni au bal.

— Au diable le tripot et la danse !

Tout excitée, je lui racontai notre « croisade » contre les fanatiques. J'y mis tant de fougue, qu'il me prit par les épaules et me secoua :

— Holà ! Ne vous emballez pas, Marie, vous risqueriez d'être déçue. Le parlement du Toulouse est tout-puissant.

Cependant, je fis comme avec Voltaire : j'endossai ma robe d'avocat et ne le lâchai pas avant de l'avoir convaincu.

— Peut-être avez-vous raison, finit-il par me dire.

C'est vrai que bien des éléments sont troublants dans cette histoire.

Puis, voyant mes yeux brillants de joie, il ajouta :

— Je n'ai rien d'important à faire, en ce moment, voulez-vous que je vous aide ?

Je mourais d'envie de lui sauter au cou, mais la décence m'y fit renoncer. Je le pris alors par le bras pour le mener à la bibliothèque.

— Monsieur Dupuits se joint à nous ! m'écriai-je.

— Parfait, dit mon tuteur. J'ai grand besoin d'un second secrétaire.

Il lui dégagea un coin de table, avança une chaise et lui présenta un brouillon à recopier, tandis que M. Wagnière apportait du papier, une plume et de l'encre.

— En trois exemplaires, je vous prie, demanda-t-il.

Puis se tournant vers nous, il ajouta :

— Je veux tous les détails concernant ce procès. Je veux tout savoir, entendez-vous, tout savoir !

Dès le lendemain, le château de Ferney se transforma en état-major. Je tenais un registre des courriers, tandis que M. Wagnière, Claude Dupuits et Maman Denis copiaient des lettres sous la dictée de notre philosophe. Pour le moment, cette corvée m'était épargnée, car mon tuteur trouvait mon écriture médiocre et mon rendement trop faible.

Pour me rendre utile, je courais, rangeais les documents, approvisionnais notre équipe en café, en petits gâteaux, en papier, en encre et en encouragements.

À son retour de Genève, Dominique Audibert nous

présenta deux négociants, que la famille Calas avait hébergés voilà un an. M. de Voltaire les écouta avec attention.

— Le père Calas ? fit le premier. Le plus brave des hommes ! Il était d'une grande tolérance, et recevait chez lui des gens de toutes religions. Il possédait un caractère doux et aimable. Jamais il n'aurait pu assassiner Marc-Antoine !

— Lorsque son fils Louis a abjuré, raconta le second, il en eut bien de la peine, d'autant que c'était sa servante, Jeanne, qui l'y avait poussé. Il ne leur en a pas gardé rancune, et a même déclaré que si la conversion de Louis était sincère, il l'approuvait.

— Je le savais, soufflai-je à Claude.

Peu à peu, des réponses à nos lettres arrivaient, presque toutes écrites dans le même sens : Jean Calas était incapable d'avoir tué son fils.

— C'est bien une erreur judiciaire ! m'écriai-je. Comment procéder, pour casser ce jugement ?

— Le cas n'est pas prévu par la loi, rétorqua M. de Voltaire. Seuls les rois en ont le pouvoir et, à ma connaissance, aucun ne l'a jamais fait en France.

J'en restais assourdie ! Mais les choses empiraient : notre correspondant de Montauban nous apprit que Pierre, le fils Calas qui avait découvert le corps de Marc-Antoine, avait été banni et enfermé dans un couvent.

Je me mis à vociférer :

— Pourquoi cet acharnement ? Le procès a pourtant innocenté Pierre Calas du meurtre de son frère !

Pourquoi les juges lui retirent-ils tous ses droits et le cloîtrent-ils ? S'il est innocent, il doit être libre... S'il est coupable, il doit être en prison, et puni !

M. de Voltaire approuva de la tête avant d'enrager :

— Encore l'Infâme !

Dans les jours qui suivirent, nous reçûmes la réponse du secrétaire d'État Saint-Florentin. Il déclarait que le procès s'était déroulé selon la loi, puis il demandait à mon tuteur de s'occuper de ses affaires, et il le menaçait à mots couverts.

— Rodogune, se moqua-t-il, on veut nous bâillonner. Mais se taire, c'est se faire complice. Avec moi, ils sont mal tombés ! Dans ma jeunesse, j'ai été emprisonné un an à la Bastille. On ne m'a pas réduit au silence pour autant !

Ces mots me firent peur. Et si la police venait le chercher à Ferney pour l'embastiller à nouveau ? Il fallait peu de chose, en France, pour qu'un homme se retrouve dans un cul-de-basse-fosse... Le comte de Saint-Florentin avait à sa disposition autant de lettres de cachet[1] et de policiers qu'il en voulait. Voyant la peur sur mon visage, M. de Voltaire s'empressa de me rassurer :

— Que croyez-vous, fillette ? J'ai pensé à tout en venant m'installer ici. Qu'une voiture de police passe le porche, et je m'enfuis par là, me dit-il en me mon-

---

1. Lettre servant à la transmission d'un ordre du roi, permettant le plus souvent l'incarcération sans jugement ou l'exil de personnes jugées indésirables par le pouvoir.

trant la direction du jardin. Ensuite, il me suffit de gagner notre potager pour franchir la frontière. Elle se trouve au milieu de mes choux.

Maman Denis s'affola :

— Je cours vous préparer un bagage !

— C'est peut-être un peu prématuré, se moqua-t-il. En tout cas, si Saint-Florentin veut me faire taire, c'est qu'il a des choses à cacher.

*
* *

Nous prîmes vite nos habitudes. Claude arrivait de bonne heure, accompagné de Marie-Jeanne. Elle taillait les plumes, cachetait les plis à la cire et nous débitait, à longueur de journée, maintes bêtises souvent drôles.

— Assez ! lui demandait son frère. Tu nous décon-centres !

— Eh bien, reconcentrez-vous, plaisantait-elle. Moi, je pars au tripot. Je vais jouer à monologuer.

— Non, pestait Maman Denis. Barbara y repasse les draps.

— Eh bien, je me déguiserai en fantôme avec elle ! Hou hou hou…

— Cessez de faire l'enfant ! Barbara a du travail.

— Eh bien, je l'aiderai, insistait Marie-Jeanne.

— Oh, et puis faites donc comme vous voulez ! ronchonnait Mme Denis.

— Merci ! À tout à l'heure !

196

Quelques minutes plus tard, l'un de nous, invariablement, déclarait :

— Quel calme.

M. de Voltaire menait son équipe de main de maître. Il était rusé, et il me donna, à plusieurs reprises, des leçons de stratégie.

— Si nous voulons faire bouger nos amis, affirmait-il, nous devons les flatter, leur laisser croire que tout dépend d'eux. Ainsi, il faut écrire : « Vous seul pouvez m'éclairer… », afin qu'ils se mobilisent, fiers d'être indispensables. Tout l'art de soulever les foules réside dans cette petite machination.

— Ah, le méchant papa ! lui déclara Marie-Jeanne. Ce n'est pas beau de mentir à ses amis !

— Certes, mon petit pâté, mais c'est pour la bonne cause.

Ses manipulations portaient leurs fruits, tout le monde nous aidait. Enfin, presque. Le parlement de Toulouse, que nous avions saisi, nous répondit aussi fraîchement que M. de Saint-Florentin. Si la majorité des Languedociens nous soutenait, toute la région toulousaine, elle, pensait les Calas coupables. La population, profondément catholique, était en outre persuadée que huit juges sur treize, bons et honnêtes, n'avaient pu se tromper.

Quelques amis de Voltaire préférèrent également ignorer son appel. Ils ne comprenaient pas que l'on veuille se battre pour une cause aussi peu importante que la mort d'un vieux protestant, innocent ou pas.

Cependant, si on avait tenu des comptes à la Poste,

je parierais que jamais autant de lettres ne s'échangè-
rent en France qu'en cette année 1762 !

Chacun des courriers qui partaient de Ferney était
reçu par son destinataire, avant d'être recopié et
transmis à d'autres amis, qui, eux-mêmes, les lisaient
à d'autres… Cet effet « boule de neige » fit que, en
l'espace de quelques semaines, toute la France apprit
que Calas avait été victime d'une erreur judiciaire.
Deux mois plus tard, c'était l'Europe entière !

25

— Tout cela est bien joli, nous lança Marie-Jeanne un matin. Vous vous enflammez pour cette cause, alors que vous n'avez même pas la certitude que Jean Calas est innocent.

Notre équipe s'arrêta de travailler pour la regarder.

— Mais, la repris-je, c'est évident. Tout le monde le sait.

— Tout le monde…, répéta-t-elle, cela veut dire personne ! Vous faites comme les juges avec leurs quarts et leurs huitièmes de preuves. Vous n'avez même pas un vrai témoin.

Puis, elle nous quitta comme si de rien n'était :

— Il fait beau, je pars me promener !

Je croisai les yeux de Claude, puis ceux de M. de Voltaire.

— La vérité sortirait-elle de la bouche des petits

pâtés ? ironisa ce dernier. Effectivement, nous aussi, nous n'avons que des on-dit.

Cette affreuse constatation nous découragea… deux minutes. Car à la troisième, Voltaire se leva et s'écria en se frottant les mains :

— Je vais exiger de voir les pièces du procès, et nous interrogerons, nous aussi, les témoins !

Le temps de faire provision de papier, et nous nous remettions au travail.

— La liste des témoins directs ? demanda-t-il.

Je comptai sur mes doigts :

— Mme Calas et la servante sont libres. Pierre, le fils, est enfermé au couvent. L'ami Lavaysse a disparu on ne sait où, certainement pour ne pas finir comme Pierre.

— À sa place, reconnut M. de Voltaire, j'aurais fait de même. Et Mme Calas ? Se trouve-t-elle toujours à Toulouse ?

— Que non ! répondis-je en soupirant. La boutique, la maison et tous ses biens ont été vendus par les capitouls. Elle vit de charité, retirée à Montauban avec ses filles. Des amis les hébergent.

— Contactons Mme Calas !

*
* *

La lenteur du courrier nous mettait les nerfs à vif. L'affaire Calas prenait tout notre temps, et occupait toutes nos conversations.

200

Je ne le compris que plus tard, mais c'est sans doute à cette époque-là, que je grandis d'un coup, dans ma tête. Peut-être suis-je devenue adulte le jour où M. Audibert a passé le porche pour nous raconter cette horrible histoire. Peut-être est-ce ce jour-là que j'ai réellement appris à penser par moi-même.

C'est aussi pendant cette période-là que Claude et moi, nous nous sommes rapprochés. Souvent, il me disait en s'étirant :

— Allons prendre l'air, je n'en peux plus d'écrire.

M. de Voltaire nous faisait signe de partir, et Maman Denis levait les yeux au ciel avec des :

— Mon oncle, vous feriez bien d'en faire autant. Vous travaillez trop !

Il repoussait ses mots d'un geste dédaigneux et replongeait aussitôt le nez dans ses documents.

Claude et moi nous nous promenions, bras dessus, bras dessous. Les belles allées du jardin abritaient nos confidences. Parfois, nous nous asseyions sur un banc pour bavarder.

Un jour, pourtant, nous allâmes plus loin :

— J'aime votre compagnie, m'avoua-t-il. Vous êtes simple et franche.

— Je ne suis guère instruite, rétorquai-je en rougissant. Je possède un peu de ce bon sens qu'on dit populaire… Mais mon maigre bagage s'arrête là.

— N'en ayez pas honte, Marie. Je préfère votre conversation aux mièvreries des demoiselles du voisinage ! Leurs mères les exhibent pour montrer leur talent au clavecin, au chant ou au dessin, mais leurs têtes sont d'un vide désespérant.

Je fus étonnée qu'il me considère comme ayant de la conversation. Il me prit la main et poursuivit en riant :

— Remarquez que les mères ne me courent pas après, pas plus que les filles, car je ne suis pas un bon parti.

Je fus doublement étonnée ! Pourquoi un beau garçon comme lui, jeune, noble et propriétaire terrien, ne serait-il pas un époux convenable pour des mères en mal de gendre ?

— Allons, lui dis-je, vous vous dévalorisez !

— Moi ? Non. Mais vous, si. Vous êtes charmante.

L'instant suivant Claude m'embrassait. Et moi, je me laissais faire. Je n'avais aucune expérience de ces galanteries, mais j'aimai assez le traitement qu'il m'infligea.

Infliger n'était pas le terme qui convenait. M. de Voltaire aurait plutôt dit… réserver, bien que Claude n'y mît aucune réserve, et moi non plus.

Le fait de penser à mon tuteur me fit reprendre mes esprits. Je repoussai Claude du plat de la main, pour lui déclarer avec un petit sourire gêné :

— On m'a appris beaucoup de choses depuis que je vis à Ferney, mais point celles-là. Rentrons, voulez-vous.

Il se leva d'un bond et, sourcils froncés, s'excusa aussitôt :

— Je ne voulais pas vous froisser…

202

— Je ne le suis pas, lui avouai-je. Je suis troublée, peut-être un peu confuse, mais certes pas froissée.

Et je lui pris la main pour le lui prouver. Il se mit à rire, ravi. Je regardai ses belles boucles brunes et ses beaux yeux gris. Je mourrais d'envie de caresser son visage. Je ne le fis pas, naturellement, la porte du château se trouvait devant nous et l'on aurait pu nous voir.

Il me lâcha la main, comme à regret, et me glissa, tout en me cédant le passage pour entrer :

— Reviendrez-vous vous promener avec moi ?

— Bien sûr. Si nous restons sages.

— À vrai dire, je n'en ai aucune envie, plaisanta-t-il.

— De vous promener ? demandai-je, faussement étonnée, tout en connaissant déjà la réponse.

— D'être sage, me souffla-t-il au creux de l'oreille.

26

— Le plus jeune fils Calas se trouve à Genève, nous annonça le docteur Tronchin, un beau matin.

— C'est bien Donat qu'il se nomme ? questionna Voltaire. Un prénom curieux. Je le croyais apprenti à Nîmes.

— Il s'est enfui, expliqua Tronchin. Si vous souhaitez le rencontrer, il vous faudra passer la frontière. À présent, c'est un proscrit recherché par la police française[1].

---

1. Un protestant recherché, qui s'enfuyait pour échapper à la justice, était banni. Il ne pouvait plus revenir en France, perdait ses droits et voyait ses biens confisqués. Donat Calas ne revit sa mère que sept ans plus tard, lorsqu'elle vint à Ferney remercier Voltaire. Genève était la ville où se réfugiaient la plupart des huguenots français. Une communauté nombreuse et soudée les y aidait.

— Bien sûr que je veux l'interroger ! Allons aux *Délices*[2], ordonna M. de Voltaire. Faites prévenir nos amis. J'espère, soupira-t-il ensuite, que nous n'aurons pas affaire à un de ces énergumènes comme seul son pays sait parfois en produire[3] !

En fait d'énergumène, nous rencontrâmes un beau jeune homme de quinze ans, timide, doux et aimable. M. de Voltaire en resta bouche bée, tant il était bien élevé !

— Exprimez-vous librement, mon petit, le pria-t-il. Nous ne vous voulons aucun mal.

Donat Calas nous parla en si bons termes de ses parents, avec une telle correction, une telle franchise que nous nous mîmes tous à pleurer !

— Pourquoi t'es-tu enfui de Nîmes ? lui demandai-je. Pourquoi ne pas être retourné chez toi à Toulouse ?

— Impossible, mademoiselle ! Quand j'ai appris qu'on allait m'arrêter à Nîmes, j'ai eu grand-peur, et je suis venu me réfugier à Genève. Avez-vous vu ce que les capitouls ont fait subir à ma famille ? Je n'ai pas pu dire adieu à mon père avant qu'il ne quitte

---

2. Voltaire louait une maison en territoire genevois, *Les Délices*, à François Tronchin, un avocat, cousin de son médecin. Les Tronchin, ainsi que d'autres amis, l'avocat Vegobre, le banquier Cathala et le pasteur Moultou, formèrent un comité et apportèrent un grand soutien à Voltaire durant l'affaire Calas.

3. La phrase est historique. On avait, à l'époque, des préjugés contre les habitants du sud-ouest de la France. Souvent pauvres et ayant le verbe haut, ils passaient pour fanfarons et bagarreurs.

cette terre. Et à présent je suis banni, je ne pourrai plus jamais revenir en France, ni revoir ma mère !

Et nous nous remîmes tous à pleurer.

— Ne le prenez pas mal, insista M. de Voltaire, mais votre père avait-il des crises de violence envers ses enfants ?

— Papa, violent ? répéta Donat en reniflant. Non, c'était la douceur même. Et puis, cela lui aurait été difficile de lever la main sur Marc-Antoine. Mon frère était grand, jeune et vigoureux, et mon pauvre père, petit, faible et vieux.

Je me tournai aussitôt vers mon tuteur :

— Donat a raison. Imaginez-vous un homme de soixante-trois ans étrangler un grand gaillard de vingt-huit ans, puis le pendre à la seule force de ses bras ?

— Bien sûr, Rodogune ! C'est là la preuve qui nous manquait !

Le docteur Tronchin fit remarquer :

— À votre place, je demanderais copie du rapport rédigé par le médecin.

— Quel médecin ? s'étonna M. de Voltaire.

— Celui qui a examiné le corps de Marc-Antoine après son trépas. Il se peut qu'il ait noté des blessures dues à une lutte, des vêtements déchirés, ou d'autres détails importants.

Le conseil ne tomba pas dans l'oreille d'un sourd.

— J'en demanderai copie, comptez sur moi.

*
* *

— Une lettre de Mme Calas ! hurlai-je, tout excitée, en ouvrant notre paquet de courrier.

Le château s'ébranla d'une grande cavalcade. Même les domestiques se pressèrent dans le couloir, chacun voulant entendre ce que la pauvre veuve avait à nous raconter.

Avec des mots simples et bouleversants, elle y expliquait par le menu[4] le déroulement de cette triste soirée d'octobre 1761. Son récit se révélait en tout point semblable à celui que Dominique Audibert nous avait fait. À la fin, Mme Calas jurait sur l'honneur, et au nom de Dieu, que son mari n'avait pas tué son fils. Nous en avions la gorge serrée.

Le lendemain, M. de Voltaire nous informait :

— Je possède à présent l'intime conviction que Jean Calas était innocent. Tous à vos plumes ! Même vous, Cornélie ! Vous ne serez pas de trop.

Il nous confia un brouillon de lettre et ordonna :

— Je veux que chacun d'entre vous m'en écrive dix par jour. Les autorités refusent de nous entendre ? Nous allons soulever l'opinion publique.

— L'opinion publique ? m'étonnai-je. Qu'est-ce donc ?

— Les gens, le peuple, la France !

J'écrivis, jusqu'à en avoir mal, jusqu'à en attraper des crampes, des ampoules aux doigts :

Il est avéré que les juges toulousains ont roué le plus innocent des hommes. Presque tout le Languedoc en

---

4. En détail.

gémit avec horreur. Les nations étrangères, qui nous haïssent et qui nous battent, sont saisies d'indignation. Jamais, depuis le jour de la Saint-Barthélemy, rien n'a tant déshonoré la nature humaine. Criez et que l'on crie...

Aujourd'hui encore, chaque mot résonne dans ma tête.

*
* *

De ce printemps 1762, je garderai en mémoire, à jamais, les phrases de Voltaire et les baisers de Claude. Nous nous échappions chaque après-midi pour nous retrouver dans les jardins. Le plus dur était de nous débarrasser de Marie-Jeanne qui n'était pas dupe une seconde du but de nos promenades.

— Pourquoi ne vas-tu pas déclamer au théâtre ? lui demandait son frère.

— Aucun intérêt..., minaudait la petite peste.

— Et au bassin aux carpes ?

— Pfff...

— Et le pré aux ânes ?

— Non, c'est bien plus drôle de rester avec vous ! Bon, je vous laisse, finissait-elle par déclarer en riant.

Claude et moi, nous nous tenions la main en discutant, et échangions quelques baisers. Je mentirais en disant que l'envie d'aller plus loin ne nous effleurait pas, certains jours, au point de nous retrouver les joues en feu et le souffle court. Mais Claude y mettait bon ordre. Il me repoussait et me glissait :

— N'allons pas trop vite, Marie. Votre tuteur m'accorde sa confiance, je m'en voudrai de la trahir.

Puis nous rentrions comme deux chastes amoureux en échangeant des regards et des soupirs langoureux. Les autres, hormis Marie-Jeanne, s'en rendirent-ils compte ? J'en doute. Ils étaient tout aux malheurs des Calas.

— Ce n'est pas dieu possible ! s'écria Maman Denis, un jour que nous arrivions un peu échevelés.

Nous nous séparâmes d'un air coupable, avant de comprendre que nous n'étions pas en cause.

— Ils ont enfermé les filles Calas au couvent !

— Mais, m'indignai-je, elles n'étaient même pas présentes le jour de la mort de leur frère. De quoi les accuse-t-on ?

— Ces monstres les ont cloîtrées ! reprit mon tuteur. Cloîtrées ? Que dis-je ! Emprisonnées dans deux couvents différents, afin de les briser, pour les obliger à abjurer ! Leur mère est désespérée !

Il se mit à faire les cent pas sur ses jambes maigres. Il gesticulait, furieux :

— Un coup de Saint-Florentin, notre Secrétaire d'État de la Religion prétendue réformée… Vous parlez d'un titre ! Saint-Florentin déteste les huguenots. Bref ! Je pense qu'il rêve de faire avouer aux deux filles que leur père était coupable, pour couvrir la misérable erreur des juges de Toulouse. Eh bien, il va m'entendre ! Wagnière ! Écrivez !

Il se lança dans un chef-d'œuvre d'hypocrisie, où il demandait au comte de Saint-Florentin comment on avait pu arrêter, par lettres de cachet, deux innocentes, « sans doute par erreur ». Puis, poursuivant dans cette bonne voie, il nous déclara :

— Maintenant, adressons-nous encore plus haut.

— Plus haut ? répéta sa nièce avec angoisse. Vous voulez dire à Sa Majesté, le roi ?

— Non, plus haut. À Mme de Pompadour, sa maîtresse.

— Est-ce bien utile ? s'étonna Maman Denis. Il paraît qu'elle ne plaît plus guère.

— Justement, persifla mon tuteur, elle aura à cœur de se montrer sous son meilleur jour, en défendant une noble cause. Elle déteste Saint-Florentin. Si elle peut lui causer du tort en lisant ma lettre à Louis XV, elle ne s'en privera pas.

Il se tourna vers moi et m'expliqua :

— La vie de Cour a quelque chose de passionnant. Lorsque vous savez à quelle porte frapper, elles s'ouvrent toutes ! Tiens, ajouta-t-il en se frottant les mains, je crois que je vais aussi écrire à Frédéric, le roi de Prusse, mon disciple ; à la jeune tsarine Catherine, que j'adore ; au roi du Danemark, qui m'aime beaucoup, et aussi au roi d'Angleterre qui m'a accueilli quand j'étais en exil. N'oublions pas que la moitié de l'Europe est protestante. Je souhaite bien du plaisir à nos ambassadeurs, lorsqu'ils devront répondre aux demandes d'explications de mes amis souverains !

Et voilà comment, en temps de guerre, on ajoute un peu de pagaille dans des relations diplomatiques déjà difficiles.

Je l'ai sans doute déjà dit : M. de Voltaire était rusé !

27

Nos courriers tissaient leur toile, ils envahissaient les salons, les ministères, les ambassades… On parlait à présent des Calas sur les marchés, dans les auberges, jusque dans les lavoirs, dans les échoppes !

Mon amie Clarisse m'envoya une lettre enflammée. Elle m'y racontait combien elle était fière de me savoir au cœur de l'action. Toutes les couventines nous soutenaient !

Elle m'apprit qu'elle était fiancée. Un jeune gentilhomme était autorisé à lui faire sa cour au parloir chaque semaine. Elle en profitait pour se tenir au courant, grâce à lui.

Mes parents, eux, ne m'en dirent rien. Muets comme à leur ordinaire, ils ne répondaient pas à mes lettres. Ce n'était pourtant pas faute de leur en envoyer ! Je leur écrivais chaque mois, avec la régularité d'une horloge. Peut-être ne pensaient-ils plus à leur fille ? J'aurais tant aimé qu'ils soient contents de moi.

À Ferney, le lilas embaumait. Tout à l'« affaire », M. de Voltaire avait abandonné mon éducation. De même, nous jouions fort peu au tripot. Nous regardions à peine notre église se bâtir, et les paysans cultivaient la terre dans le désintéressement le plus total de leur nouveau seigneur !

Le lilas embaumait... Cependant, une tempête m'attendait. Un matin, je trouvai Claude seul, assis sur un siège du salon.

— Aujourd'hui, nous avons reçu trente-cinq lettres de soutien ! m'écriai-je avec joie. Trente-cinq, dont dix qui viennent de l'étranger !

Les coudes sur les genoux, le dos voûté, il m'offrait un visage des plus soucieux. Je me laissai tomber près de lui :

— Que vous arrive-t-il ?

Il haussa les épaules, avant de répondre d'un air lugubre :

— La vie est injuste.

Un peu étonnée, je le pressai :

— Expliquez-vous, Claude.

Il se leva et m'avoua :

— Jamais je n'ai été plus heureux qu'aujourd'hui... avec vous. Je participe à une belle aventure. Nous sommes comme une grande famille auprès de M. de Voltaire. J'aime cette intimité, cette amitié.

Il s'arrêta et se mit à soupirer, avant de reprendre :

213

— Vous et moi… Cela pourrait être si simple, mais ce ne l'est pas.

— Qu'est-ce qui n'est pas simple ?

— Ma situation, avoua-t-il. Je suis un petit cornette de dragons. Autrefois, mes terres rapportaient un bon revenu, jusqu'à dix mille livres par an. Aujourd'hui, j'en tire à peine la moitié, et cet argent sert à payer nos dettes.

— Des dettes ? m'étonnai-je en fronçant les sourcils.

Claude ébaucha une grimace. Il vint se rasseoir et expliqua :

— Lorsque mon père est mort, mon oncle Jean-Gaspard m'a fait entrer chez les mousquetaires. J'avais dix-sept ans, la guerre commençait. À chacun de mes retours, je voyais nos terres mal entretenues… J'ai écrit à mon oncle, bien sûr, à plusieurs reprises, puisqu'il est mon tuteur. Seulement, il n'a pas donné d'ordres.

» Il y a trois ans, j'ai acheté cette charge de cornette avec l'argent qui nous restait. Je pensai grimper facilement en grade et renflouer nos caisses. Il n'en a rien été. Ici, les choses ont empiré. Mon oncle est toujours absent, moi à la guerre, ma mère décédée. Nos affaires sont allées à vau-l'eau.

— Ne pouvez-vous rien faire ?

— L'oncle Jean-Gaspard est arrivé voilà deux jours. J'ai exigé de voir les comptes avant qu'il ne reprenne la mer. Il me les a montrés hier soir, ils sont très mauvais.

Je retins mon souffle lorsqu'il m'annonça :

— Il n'est plus question pour moi de m'établir, Marie. La guerre n'en finit pas, je vais être rappelé sur le front. Pire, je peux m'y faire tuer à tout moment. Et il y a ma sœur qui n'a plus de dot. C'est à elle que je dois penser, pas à nous. Comprenez-vous ce que je suis en train de vous expliquer ?

Il me regarda droit dans les yeux. Je fis oui de la tête. Puis je parvins à lui répondre :

— Vous me parlez de rupture. C'est ce qu'on appelle une non-demande en mariage, essayai-je de plaisanter ensuite.

— Je ne peux vous donner aucun espoir. Je ne suis pas un bon parti pour vous. Même si nous nous entendons à merveille, et si, comme j'aime à le croire, nous avons quelques sentiments l'un pour l'autre.

J'allais répondre, mais il m'en empêcha en posant un doigt sur ma bouche :

— Non, ne dites rien, je préfère ne pas savoir.

Un toussotement nous fit reprendre nos distances. M. de Voltaire entrait. À peine me regarda-t-il. Il s'adressa à Claude, le visage impassible :

— Mon petit Dupuits, pouvez-vous venir ? J'ai à vous parler.

Je les suivis du regard et, je ne sais pourquoi, je leur emboîtai le pas. La porte de la bibliothèque n'était pas refermée. J'allai y coller une oreille, telle une soubrette qui espionne ses maîtres. Et j'écoutai.

— Mon petit Dupuits, vous avez des soucis d'argent.

— Vous avez tout entendu ?

— Oui. Mais je le savais déjà, expliqua M. de Voltaire. Dans notre voisinage, personne ne l'ignore. Cependant, ce que je viens de surprendre est tout à votre honneur. Je vous aime beaucoup, mon petit Dupuits. Puis-je dire que nous sommes amis ?

— J'en serais très flatté, monsieur.

— Alors, je vais vous prêter de l'argent.

— Monsieur ! s'indigna Claude.

Des chaises craquèrent, Claude était sans doute en train de se lever pour partir. Mon tuteur, vraisemblablement, le retenait. J'entendis ensuite :

— Tut tut tut ! Asseyez-vous. Je n'ai pas fini. Votre avenir m'intéresse. Il me déplaît fort que vous restiez simple cornette.

— Et pourquoi donc ? se révolta Claude. Il n'y a rien de déshonorant à l'être !

— Non, bien sûr. Mais, par principe, le cornette est celui qui porte un étendard. C'est donc l'officier le plus exposé, celui sur qui l'ennemi tire en premier.

Je retins un cri ! Comment n'avais-je jamais pensé à ce détail ? À chaque bataille, Claude se trouvait en première ligne !

— Or, reprit M. de Voltaire, je détesterais aller à vos funérailles. Puis-je vous donner un conseil ?

Sans attendre, il poursuivit :

— Et si vous quittiez l'armée ? Vous avez fait des études. Vous nous avez montré, tous ces derniers jours, votre capacité à travailler dans un bureau. Vous pourriez acheter une charge dans l'Administration royale. Vous verriez votre espérance de vie augmenter, ainsi que vos revenus. Et vous ne vous feriez pas trouer la peau à la guerre, ce qui m'éviterait de vous composer une oraison funèbre. Un genre de poésie que je déteste.

— Monsieur…, l'interrompit Claude. Si je meurs…
Il n'en dit pas plus. M. de Voltaire avait compris :

— Je serai là. Je m'occuperai de Marie-Jeanne. Je vous en fais la promesse.

— Merci. Vous m'ôtez un poids immense. Je n'ai pas grande confiance en notre oncle Jean-Gaspard. Vous me parliez d'un emploi de bureau… Je préfère le métier des armes. Si je veux m'en sortir, le mieux, selon moi, serait d'acheter une compagnie de dragons. Un capitaine gagne quatre fois plus qu'un cornette. Je pourrais monter en grade, rembourser nos dettes, doter ma sœur…

— Eh bien, si c'est votre souhait ! Je vous prêterai de quoi acheter une compagnie.

M. de Voltaire s'éclaircit la voix et continua :

— En ce qui concerne ma Chimène, j'apprécie votre sens du devoir. Vous avez raison, elle ne peut être vôtre. J'envisage pour elle un mari cultivé, stable, et avec de confortables revenus.

— Elle le mérite, soupira Claude. Quant à moi, je ne pourrai jamais lui offrir la vie dont vous rêvez pour elle.

— Merci, mon petit Dupuits. La culture ne vous manque pas, loin de là, mais hélas l'argent et la sta-bilité, oui. Sans quoi je vous aurais donné ma fille adoptive, et de grand cœur. À présent, parlons de ce prêt. Je peux vous accorder neuf ou dix mille livres. À vous de chercher une compagnie de dragons.

Je ne pouvais en entendre davantage. En larmes, je partis me réfugier dans ma chambre.

Quelques minutes plus tard, on frappa à ma porte. M. de Voltaire me trouva allongée sur mon lit, le nez écrasé dans les oreillers. Il vint s'asseoir à côté de moi et me tapota l'épaule, avec ce qui ressemblait à de la tendresse.

— Chimène, me dit-il, il ne faut plus penser à M. Dupuits. Il a beaucoup de qualités, et sa meilleure est de savoir où est son devoir. Il doit tout d'abord s'occuper de Marie-Jeanne. Et il a des dettes à payer… Vous le comprenez, n'est-ce pas ?

Comme je ne répondais pas, il me frictionna l'épaule de sa vieille main. Je me soulevai alors vivement sur les coudes pour lui lancer :

— S'il retourne en Westphalie, il se fera tuer !

— Peut-être, soupira-t-il. Mais cette guerre se terminera bientôt, dans un an tout au plus. La France est à genoux, il lui faudra plier devant la Prusse et l'Angleterre.

— Un an, c'est encore trop long ! m'écriai-je. Il se fera tuer, vous dis-je !

M. de Voltaire soupira de nouveau, puis il m'apprit ce que je savais déjà :

— Je vais lui prêter de l'argent pour qu'il s'achète une compagnie de dragons. Comme cela, s'il meurt, il mourra capitaine. Pour vous et moi, cela ne fera pas de différence, mais pour lui, oui. Respectons donc son choix.

Je m'étais assise, les bras enserrant mes genoux et mes cheveux bruns tombant sur les joues. Il repoussa une boucle et murmura :

— Je ne veux que votre bonheur. M. Dupuits n'est pas pour vous. Nous vous trouverons à sa place une perle rare, un homme de bien, cultivé, qui saura vous rendre heureuse.

La phrase me serra le cœur. Je protestai d'une faible voix :

— Vous avez donc tout organisé. Je croyais pourtant que vous souhaitiez m'apprendre à penser par moi-même, afin que je décide seule de mon destin.

— C'est ce que je fais, petite Corneille. Mais cela ne veut pas dire pour autant que vous aurez la destinée dont vous rêvez. La vie n'est pas ainsi faite.

Je hochai la tête d'un air désespéré. Alors, il s'écria, faussement jovial :

— Et n'abusez pas des portes qui claquent ! Pas plus que des sautes d'humeur, je vous prie.

28

Claude partit quelques jours plus tard pour son régiment ; Marie-Jeanne s'en retourna à son couvent en traînant les pieds. Au jardin, le lilas était fané.

Nous attendions des comédiens de Paris, qui devaient donner des représentations dans notre nouveau théâtre. M. de Voltaire en était tout fébrile, car le grand Lekain, le meilleur acteur de la Comédie-Française, se trouvait parmi eux. Entre l'affaire Calas et le tripot, nous n'avions plus une minute à nous. Heureusement ! Ainsi, je n'avais guère le temps de penser à moi.

Un matin, Maman Denis vint me prendre par le bras :

— Le linge propre s'entasse sur la scène. Il faut le débarrasser avant que les comédiens ne s'installent. Venez-vous, Marie ? Barbara sera ravie que nous l'aidions.

— Bien sûr.

Nous sortîmes toutes les deux en papotant. Au loin, sur le chemin, un homme marchait. Seul, à pied, vêtu d'une vieille veste de velours et d'un tricorne noir déformé.

— Qu'est-ce donc que cet épouvantail ? demanda Maman avec une mine dégoûtée. Encore un mendiant ! Il nous en arrive de partout. Je vais le faire accueillir aux cuisines.

Elle se retourna pour appeler un valet.

— Inutile, lui dis-je en l'arrêtant d'un geste. Ce monsieur est mon père.

Je m'approchais. C'était bien Papa ! Lorsque je fus assez près, je courus me jeter dans ses bras. Il me reçut contre son épaule en riant.

— Eh ben ! me fit-il d'une voix émue. Ça, c'est un vrai accueil de fille aimante ! Excuse, si j'ai pas prévenu.

Je me mis à pleurer. Voilà près d'un an et demi que je n'avais pas eu de nouvelles de sa part.

— Maman ? m'écriai-je, affolée, en voyant qu'il était seul.

— Ta pauv' mère est malade. J'suis venu chercher quelques secours. J'ai pas écrit parce que l'écriture, tu sais…

Il me sembla bien âgé, tout à coup, avec sa barbe de huit jours et ses cheveux gris clairsemés.

— Rentrons, proposa Mme Denis en soupirant.

Elle lui montra une chambre et lui fit donner des vêtements propres. Moi, j'observai mon père… De minute en minute, son visage changeait. De l'émotion, il passa à la curiosité, puis au contentement. Je le vis palper le tissu des rideaux, et jeter des « mazettes », dignes d'un paysan à la foire, devant les tapis. Il tâta le moelleux d'un fauteuil en sifflant entre ses dents, et se retourna vers moi :

— Ben dis donc, tu dois pas t'embêter, ici. C'est une vraie vie de princesse, que t'as.

Je me sentis honteusement gênée. Maman Denis vint à ma rescousse :

— Elle n'a que ce qu'elle mérite, monsieur. Il n'y a pas de jeune fille plus gaie, plus gentille et plus attentionnée qu'elle. Au fait, vous nous disiez que votre épouse était souffrante ?

Il nous fit une grimace larmoyante qui ne parvint pas à apitoyer la nièce de Voltaire. Moi, je m'y laissais prendre, comme d'habitude.

— Elle se meurt, madame, fit-il. On a point d'argent pour les médicaments, pas plus que pour le médecin.

Je retins un cri ! Ma pauvre mère était mourante ! Mes jambes tremblaient tellement que je dus m'asseoir.

— Et donc, reprit sèchement Mme Denis, plutôt que d'écrire, vous avez décidé de venir chercher de l'aide chez nous. Un voyage de six semaines, en comptant le retour, en laissant votre épouse seule et malade à Paris. Est-ce bien raisonnable ?

Ah l'affreux ! Elle l'avait percé à jour en quelques mots, alors que j'allais encore me faire avoir par ses manipulations !

— Fallait que j'voie la petite, gémit-il. C'est ma fille unique. J'peux pas vivre sans elle.

Le repas du soir fut grotesque. Papa soupesa les assiettes en argent et les couverts en vermeil. Il reprit deux fois du potage, du faisan et des petits pois à la crème, en prétextant une grande privation due à son extrême pauvreté. Puis il geignit sur ses dettes et sur ma mère malade. Pour finir, il remercia sans fin pour ma bonne mine, mon éducation, mes belles robes…

Que j'avais honte ! M. de Voltaire resta tout d'abord de marbre. Puis il finit par déclarer :

— Et les quarante-cinq louis[1] que je vous ai fait donner par les Argental, voilà six mois ? Vous en aviez besoin afin de payer médecin et médicaments pour votre épouse.

Je sursautai ! Ainsi, mon père avait réclamé de quoi vivre à mon tuteur ? Alors qu'il n'avait pas même daigné répondre à mes lettres ?

— L'argent file si vite, se plaignit-il avant de demander un nouveau verre de vin.

Le lendemain, M. de Voltaire resta cloîtré dans ses appartements, prétextant une indisposition. Je ne parvins pas à savoir s'il était souffrant ou s'il souhaitait éviter mon père.

Il ne feignait pas. Nous fûmes fort inquiets durant dix jours. Je réussis à l'entrevoir brièvement, au début de sa maladie. Il avait le teint jaune, le souffle rauque

1. Un louis d'or valait environ vingt-quatre livres. La somme représentait deux ans du salaire de facteur de Jean-François Corneille.

223

et court. Il me fit de la peine ! Maman Denis, à son chevet, expliqua au docteur Tronchin :

— Il a abusé du faisan. Je lui avais pourtant dit de faire attention. Il l'adore, mais ne le digère pas.

— Eh oui, ricana M. de Voltaire d'une faible voix depuis son lit, mon cuisinier et mon apothicaire me tueront !

Je ne comprenais pas ses mots. Qu'il fasse semblant d'accuser notre cuisinier d'encourager sa gourmandise, passe encore, mais l'apothicaire ? Je compris ensuite, lorsque le médecin se tourna vers lui pour le disputer :

— Pourquoi avoir avalé les dix pilules de votre boîte en une seule fois ? C'est pure folie !

Mais, malgré sa faiblesse, mon tuteur se défendit :

— J'en avais pris deux, elles ne m'ont rien fait. Alors j'ai vidé la boîte… Elles ne m'ont rien fait non plus. Maintenant j'ai la fièvre, une fluxion de poitrine… et j'ai toujours mal au ventre. Comme quoi l'apothicaire m'aura tué, tout autant que le cuisinier.

— Enfin ! Si je vous ai prescrit deux pilules, c'est…

— De toute façon, le coupa Voltaire, vous, les médecins, vous donnez des médicaments que vous ne connaissez pas, à des malades dont vous ne savez pas grand-chose, pour guérir des maladies dont vous ne savez rien… Ah !

— Même moribond, il faut encore qu'il ait raison ! s'indigna sa nièce en nous faisant sortir.

— Ses poumons vont mal, déclara le docteur Tronchin dans le couloir. Les intestins me semblent touchés et le cœur est très faible. Il a la fièvre, il doit se reposer ! Plus de travail !

Il revint dès le lendemain, et montra une réelle inquiétude durant les jours suivants. Malgré les ordres du médecin, M. Wagnière ne quittait pas notre malade, écrivant à son chevet. J'appris qu'ils envoyaient de nouvelles réclamations pour libérer les demoiselles Calas.

— Pauvre M. de Voltaire ! gémit Papa. Il est souffrant, mais il se soucie encore de faire régner la justice, en défendant des innocents. Quel saint homme ! Tiens, je resterai ici tant qu'il ira pas mieux, ajouta-t-il, la larme à l'œil.

— Et votre femme, seule à Paris ? railla Mme Denis.

Mon père profita de la maladie de M. de Voltaire pour prendre ses aises : au moindre caprice, il donnait des ordres aux serviteurs. Un jour, il visita le chantier de l'église avec force commentaires aux ouvriers, et il alla jusqu'à demander à Mme Denis combien de revenus son oncle tirait de ses domaines. J'étais anéantie de tant d'aplomb !

Il s'imposait, mais personne ne se permit de le mettre dehors, par respect pour moi. Donc, on le supporta. Un après-midi, il me trouva seule dans le potager.

— Faut qu'on parle, me lança-t-il en croisant les bras. Tu t'rappelles peut-être pas, mais tu devais nous envoyer des sous. Mademoiselle vit comme une princesse, pendant que j'trime comme simple facteur, dans les rues, par tous les temps !

225

— Tu as reçu quarante-cinq louis.

— Croqués en trois mois ! ricana-t-il. Eh oui, le gigot, c'est pas donné. On a déménagé dans une belle maison et j'ai repris le titre d'écuyer de mon grand-père. Maintenant, on me respecte. Alors, en conclusion, si y veut te garder, ton Voltaire qui t'aime tant, faut qu'il paie !

Je retins mon souffle ; il parlait de chantage ! Je réfléchis à toute vitesse et je tentai :

— M. de Voltaire va m'établir. Bientôt, il ne faudra plus compter sur lui pour rembourser tes dettes. Et je doute que mon futur époux accepte de te prendre à sa charge !

Mon père devint blême.

— Je m'y opposerai ! s'écria-t-il. Garde-toi de jamais te marier, ce serait tuer la poule aux œufs d'or !

Comme je tentai de partir, il m'accrocha par le bras et me secoua rudement. Il était furieux que je contrecarre ses plans. Après quelques secondes de silence à nous jauger, il me glissa insidieusement au creux de l'oreille :

— Tu veux te marier ? Alors, qu'est-ce que t'attends pour te faire épouser par le vieux ? Tu vois pas tout l'argent qu'y a à gagner ?

Je le regardai, éberluée. Avais-je bien compris ?

— T'es devenue une belle fille, reprit-il. Il est fou de toi. Faut que tu te fasses toute douce, ma petite, que tu te rendes indispensable.

— N'as-tu pas honte ? Il t'a sorti de la misère !

Je ruai pour me dégager. Je ne voulais pas en entendre davantage. Que ses mots étaient vulgaires !

— Foutre ! brailla-t-il. Fais-toi épouser ! Le vieux va pas tarder à mourir, et à nous la belle vie ! Laisse pas la grosse vache nous voler l'héritage !

Je me mis à crier et il me lâcha enfin. J'en profitai pour m'enfuir. Dans mon dos, il hurla :

— S'il veut te garder, faudra qu'il paie ! T'entends ?

Je montai me cacher dans ma chambre. Papa était fou ! fou ! fou ! me répétai-je. Il allait briser ma vie, par jalousie, par appât du gain !

Je ne descendis pas ce soir là, toute à mon désespoir. Le lendemain, je trouvai Maman Denis chantonnant. Elle m'annonça :

— Votre père est parti. Il était trop inquiet pour votre mère, il n'a pu rester davantage. Il vous embrasse. Mon oncle lui a remis vingt-cinq louis et l'a fait accompagner en calèche jusqu'au coche pour Paris.

Je poussai un soupir de soulagement, puis je souris :

— M. de Voltaire va donc mieux ?

— Oui, ma chérie, le vieux va mieux. Et la grosse vache en est bien contente.

Aujourd'hui encore, j'ignore qui lui a rapporté notre conversation. Peu m'importait, je me mis à rire et à danser !

29

Mon père parti, je retrouvai ma petite vie, entre mes peines de cœur et l'affaire Calas.

Nous avions envoyé Mme Calas à Paris. M. de Voltaire pensait qu'il était temps de la présenter à des gens influents. Elle y arriva dans les premiers jours de juin 1762. Terrorisée, la pauvre femme craignait d'être enfermée à son tour : trois de ses enfants, Nanette, Rosette et Pierre, l'étaient déjà, et un quatrième, Donat, avait fui à l'étranger. Quant au cinquième, Louis, elle ne pouvait compter sur lui : il avait renié sa famille et montrait le plus grand zèle pour la religion catholique, par peur des représailles.

Mme Calas vint seule. Elle n'avait plus aucune ressource, elle avait dû se séparer de Jeanne, sa servante. Devant son désespoir, nous lui adressâmes le jeune Gaubert Lavaysse, que nous avions retrouvé, et qui alla se cacher chez les Argental sous un faux nom.

Lui aussi avait peur d'être enfermé. Il la soutint et l'aida de son mieux, dans l'ombre.

Notre but était simple : que l'opinion s'indigne de cette erreur judiciaire, à tel point que le roi se trouve obligé de recevoir Mme Calas, et de rouvrir le dossier.

Tout en suivant la malheureuse dans ses épreuves parisiennes, je lisais. Oui, je lisais ! J'avais repris par ruse le *Julie* de M. Rousseau et je m'en délectais tout en pleurant. J'usai des chandelles chaque soir pour dévorer mon livre préféré. Je recréais les émotions de mes héros en imagination.

Julie, c'était moi. Saint-Preux, son précepteur et amant, c'était Claude. Je revivais leur passion tragique. Je sanglotais lorsque Julie se mariait par devoir avec le baron de Wolmar, un gentilhomme âgé qu'elle n'aimait pas. Elle renonçait à Saint-Preux, son unique amour. Quelle sublime leçon de vertu et de morale ! Quelle grandeur d'âme !

J'imaginais alors M. de Voltaire me présenter Wolmar :

— Voici l'homme de bien cultivé que je vous ai choisi. Il connaît Virgile et *Le Cid*, et possède cent mille livres de rente.

Et moi, pâle, défaite, mais courageuse, je lui répondais :

— Je vous obéirai, monsieur mon père adoptif, puisque tel est votre désir. J'épouserai M. de Wolmar.

Je m'apitoyai ainsi sur mon triste sort, jusqu'à ce que mon tuteur reçoive le dernier ouvrage de « Jean-Jacques ». Il s'appelait *Émile ou de l'Éducation* et je rêvais de le lire. M. de Voltaire n'en disait que du mal, ce qui, pour moi, équivalait à beaucoup de bien.

— Le philosophe des Petites-Maisons a fait très fort, cette fois-ci ! railla-t-il en hochant du bonnet. On a brûlé son livre à Genève et il est interdit à Paris.

— Les vôtres aussi, répliquai-je aussitôt.

— Oui, mais moi, je ne suis pas bon à enfermer à l'asile, comme lui.

— Bon à enfermer ? pestai-je. Et pourquoi donc ?

— Jean-Jacques prône des inepties sur l'éducation des enfants. D'énormes stupidités qui font honte au genre humain. Il est fou !

— Laissez-moi les lire, je vous donnerai mon avis.

— Certes pas ! Je ne vous polluerai pas l'esprit avec ces idioties. Quand vous pensez que Jean-Jacques est père de cinq enfants !

— Eh bien, le coupai-je, vous voyez qu'il a de l'expérience.

— Il les a abandonnés, tous les cinq, aux Enfants-Trouvés[1] ! C'est vous dire s'il est expert en matière d'éducation !

Cela ne me découragea pas. Avec l'aide d'Agathe, je lui subtilisai l'*Émile*. Je reconnais que M. de Voltaire n'avait pas tort, mais M. Rousseau non plus, même s'il écrivait des choses désagréables à propos

---

1. Orphelinat. L'histoire est vraie. Rousseau, estimant ne pas pouvoir éduquer ses enfants convenablement, préféra les confier aux Enfants-Trouvés.

des filles : leur seule vocation semblait de se mettre au service des hommes !

Bref, l'ouvrage ne retint pas longtemps mon attention. Je retournai à mon *Julie*, avec qui j'étais sûre d'user mes mouchoirs.

Il y eut pourtant des fois où je pleurai vraiment, de peur, d'angoisse. Chaque nouvelle de la guerre me laissait plus morte que vive. À Wilhelmsthal, en juin, les Français avaient battu en retraite, pour ne pas se faire écraser ; à Lutzelberg, en juillet, ce fut pareil. Nos troupes perdaient du terrain sur tous les fronts.

Claude nous écrivit qu'il allait bien, et c'est tout ce qui m'importait. Il était toujours cornette, car il n'avait pas eu le temps d'acheter sa fichue compagnie de dragons, avant de partir.

Je l'imaginais, galopant à cheval, à la tête des troupes, portant avec panache l'étendard de son régiment, cible parfaite pour les ennemis agenouillés en rangs, fusils chargés. J'entendais les roulements du tambour… Et les ordres : « Feu ! » Puis c'était le tonnerre des tirs dans un nuage de poudre…

Je tremble toujours, chaque fois que j'évoque cette scène.

— M. Dupuits nous manque, se plaignit Wagnière, un matin. Il nous faudrait trouver quelqu'un pour le remplacer. Je ne peux écrire toutes les lettres.

— Mais non, soupira mon tuteur en me regardant. Il ne nous manque pas. Allons Wagnière, reprenons. Nous devons envoyer au plus vite à Paris toutes les preuves de l'affaire Calas que nous avons réunies.

Saint-Florentin se laissera peut-être fléchir devant tant d'évidences.

— Nous pourrions demander au père Adam, insista le secrétaire. Il a la main sûre et une belle écriture.

— Eh bien, d'accord pour le père Adam ! Chimène ! Donnez-moi le dernier courrier de notre ami de Montauban.

Après l'avoir feuilleté, il se redressa :

— Ceci est essentiel. D'après les juges, Marc-Antoine voulait se faire catholique. Toute leur accusation était fondée sur cette supposition. Or, l'enquête de notre ami démontre qu'aucun curé de Toulouse ne s'est occupé de cette prétendue conversion. Ils auraient dû s'en vanter, prévoir un baptême. Pas un ne l'a fait ! Cela prouve bien que Marc-Antoine ne cherchait pas à abjurer sa foi.

Puis il se tourna de nouveau vers moi :

— Où est le rapport du médecin ?

Nous avions eu la chance de l'obtenir par des moyens détournés, la justice refusant de nous le communiquer. Je le lui tendis aussitôt.

— Et cela ? ricana-t-il. Il y est dit que la trace de la corde, sur le cou de Marc-Antoine, remonte sous sa mâchoire, et se voit derrière les oreilles. Il n'a point été étranglé, il a été pendu. Or, le vieux Calas était incapable de pendre son fils.

J'approuvai et j'ajoutai :

— Le médecin dit aussi qu'il n'y avait aucune blessure, aucun vêtement déchiré, ni sur le mort, ni sur les accusés. Il n'y a pas eu de lutte.

— C'est la preuve que la victime s'est suicidée. Wagnière ! L'avez-vous recopié ?

— Non, soupira le secrétaire. Je ne peux pourvoir à tout, monsieur. Il nous manque...

J'avais le cœur serré. Il n'y avait pas qu'à Wagnière que Claude manquait !

— Je sais ! s'écria mon tuteur. Faites chercher le père Adam à son couvent !

[illegible faded text from previous page bleeding through]

30

Vous vous souvenez de Pierre Calas ? Lui et son ami Lavaysse avaient découvert le corps de Marc-Antoine, ce soir de mars 1762. C'était l'un des principaux témoins de cette horrible histoire.

Par une incroyable chance, il s'était évadé du couvent où on l'avait enfermé, et il avait gagné Genève grâce à l'aide d'amis huguenots. Il y retrouva Donat, le benjamin de la famille.

Pierre était un jeune homme brun de vingt-six ans, maigre et fatigué. Ce qu'il nous raconta frôlait l'horreur :

— Chaque jour, on tentait de nous obliger à abjurer. Chaque jour, ils essayaient de nous faire avouer le meurtre de mon frère. Brimades ! Harcèlements ! Notre avocat n'avait pas le droit de parler. Aucun de nos témoins n'a été entendu ! Tous les interrogatoires étaient orientés, il nous était impossible de nous défendre !

» Ils allèrent jusqu'à nous attacher sur une table de torture pour nous terroriser. Ils nous menaçaient : "Le vieux a parlé ! Il dit que tu es complice ! Avoue et nous t'épargnerons !" Comme nous continuions à crier notre innocence, ils nous ramenaient dans nos cellules. Mais, imaginez notre frayeur !

» Lavaysse fut accusé d'avoir été choisi comme bourreau par mon père. Les catholiques pensent que nous exécutons ceux qui veulent abjurer. Lavaysse, un assassin ! Il a vingt ans, il est poli, aimable, très instruit. Il serait bien incapable de faire le moindre mal à quiconque ! En plus, il se trouvait chez nous par le plus grand des hasards. Il arrivait de Bordeaux. Comme il était tard, il ne pouvait se rendre chez ses parents, à Caraman, que le lendemain. La chose a été prouvée.

» Si mon père avait en tête de tuer mon frère, aurait-il invité Gaubert Lavaysse à manger ? Non ! Et s'il avait besoin d'un bourreau, aurait-il choisi un jeune homme sensible de vingt ans ? Qui plus est notre ami ? Non plus !

» Les juges n'ont rien pu prouver. Alors, ils ont dit : "Si ce n'est Lavaysse le complice, c'est donc Pierre !" Seulement, en aucun moment nous nous sommes séparés, ce soir-là. Jeanne, notre servante, une bonne catholique, en a témoigné. Comment l'un de nous aurait-il pu être coupable ?

» Faute d'aveu, ils continuèrent à nous tourmenter. Dieu me pardonne, mais j'ai abjuré, tant on me martyrisait ! Lavaysse aussi ! Nous ne dûmes la clémence des juges que grâce à cette fausse conversion.

» Lorsqu'on nous libéra de prison, après le supplice de mon père, je n'y voyais pratiquement plus. On m'a laissé pendant presque six mois dans un cul-de-basse-fosse sans lumière. Lavaysse, lui, se retrouva les chevilles entaillées, à cause des fers qu'on nous avait fait porter, pour nous enchaîner au mur. Ses jambes étaient infectées et si enflées qu'on dut le sortir en chaise à porteurs. Et la foule ! Cette foule haineuse, qui nous attendait au-dehors en réclamant notre mort ! C'était horrible !

Pierre Calas s'arrêta. Il était blême. Son frère Donat lui passa le bras autour du cou, pour l'apaiser.

— On nous a bannis, reprit Pierre, alors que nous avions été reconnus innocents. Lavaysse est parti se cacher, grâce à son père, qui est influent. Moi, je n'ai pu. Ils m'ont mené à un gibet. J'y ai subi un simulacre de pendaison. Après quoi, ils firent semblant de me jeter hors de la ville. Ensuite, ils m'ont enfermé au couvent des dominicains[1]... Et l'enfer a recommencé ! Pour les frères, j'étais un assassin. Ils ne

---

1. Ensemble conventuel des Jacobins, situé rue Pargaminières à Toulouse. Fondé en 1215 par Dominique de Guzman pour lutter contre l'hérésie cathare, il était tenu par l'ordre des frères prêcheurs, aussi appelés « dominicains ». Le couvent prit son nom actuel de « Jacobins » à la fin du XVIIIᵉ siècle.

croyaient guère à ma conversion, et ne cessaient de me répéter : "Repens-toi, meurtrier ! Avoue que tu as aidé ton père à tuer ton frère !" J'ai réussi à m'enfuir en descellant les barreaux de ma cellule.

Après avoir repris son souffle, il poursuivit :

— Par pitié ! Sauvez nos deux sœurs ! Elles sont en train de subir les mêmes supplices !

— Et votre frère Louis, demanda tout à coup M. de Voltaire. Il s'est fait catholique voilà quelques années… Ne pouvait-il vous aider ?

Pierre Calas eut une moue de dégoût.

— Louis est doublement un renégat. Il s'est converti par intérêt, non par conviction, j'en jurerai[2] ! Lorsque nous avons été arrêtés, il n'est pas même venu nous voir, tant il craignait le « qu'en dira-t-on ». Pire ! il s'est lancé dans un zèle religieux sans limite pour prouver sa bonne foi et se faire bien voir des autorités.

» Savez-vous que c'est lui qui servit d'appât pour arrêter mes sœurs ? Il se rendit avec les policiers, à Montauban, où elles s'étaient cachées avec notre mère. Il frappa à leur porte en pleine nuit, et leur dit : "Nanette ! Rosette ! Ouvrez, vous ne risquez rien ! C'est Louis !" À peine le verrou poussé, on les jeta dans une voiture pour les conduire au couvent.

---

2. La loi obligeait les parents protestants à verser une pension à leurs enfants convertis au catholicisme. Jean Calas payait donc une pension à Louis, qui ne travaillait pas, au détriment de ses autres enfants, qui doutaient du réel motif de cette conversion.

Je n'en pouvais plus ! Je me levai pour sortir, tant j'étais bouleversée. Ce soir-là, M. de Voltaire nous déclara :

— Comment peut-on traiter les gens ainsi ? C'est si incroyable que j'en finirais presque par douter de ce Pierre Calas... Peut-être nous ment-il ?

Assise en face de lui, les mains serrées entre les genoux, je restais prostrée.

— Il faudrait qu'il soit vraiment un excellent comédien, lui répondis-je. Avez-vous vu son visage amaigri, ses yeux malades ? Non, il ne feint pas. On ne l'a pas torturé aux tenailles rougies au feu, mais c'est tout comme.

Après un énorme soupir, mon tuteur expliqua :

— Nous allons devoir nous battre sur plusieurs fronts. Tout d'abord, Mme Calas doit être reçue à Paris par Saint-Florentin. Pour parvenir à réhabiliter son époux, notre seule chance est que le secrétaire d'État intervienne auprès du roi. Ensuite, nous devons tout mettre en œuvre pour que Nanette et Rosette soient libérées. Leur frère a raison, elles vivent sans doute un véritable enfer. Pour finir, nous allons écrire le témoignage des acteurs de cette histoire. Écrire, c'est ma spécialité. Je les ai entendus, à moi de les faire entendre par les autres.

Nous nous regardâmes. Nous avions compris. Une des habitudes de mon tuteur consistait à publier des textes sous de faux noms, pour se protéger des représailles de la police.

— Imprimons-les, ajouta-t-il.

Maman Denis se mit à applaudir, ravie.

— Il nous suffira ensuite, fit-elle en riant, de donner quelques exemplaires de ces témoignages à chacun de nos invités, lorsqu'ils repartiront de chez nous. Ni vu ni connu.

Ce fut au tour de M. de Voltaire de s'esclaffer :

— Saint-Florentin aura du mal à en arrêter la diffusion !

Il rédigea ces trois textes, au nom de Mme Calas et ses deux fils, dans lesquels il racontait leur histoire. Bien sûr, il exagéra un peu les faits, afin de tenir ses lecteurs en haleine et de provoquer chez eux une grande émotion ! Jean Calas devint un vieillard de soixante-huit ans aux jambes branlantes ; Marc-Antoine, lui, fut pourvu d'une force prodigieuse. Cependant, les Calas signèrent les documents comme s'ils étaient de leurs mains.

Nous les imprimâmes. Il ne restait plus qu'à les diffuser. Cela ne se fit pas sans mal ! Contrairement à ce que pensait Maman Denis, beaucoup de feuilles furent interceptées. Nous étions surveillés ; nous jouions sans cesse à cache-cache avec la censure et la police[3]. Ces témoignages, traduits et envoyés à l'étranger, provoquèrent un grand émoi. Outre des lettres

---

3. En France, un auteur ne pouvait publier un écrit que s'il possédait l'accord des autorités. Ceux qui voulaient échapper à la censure devaient imprimer leurs livres à l'étranger et les diffuser illégalement, au risque d'être emprisonnés.

de soutien, nous parvenait de l'argent pour aider Mme Calas. Il servit à engager les meilleurs avocats parisiens.

— La machine est en marche, s'enthousiasma M. de Voltaire en se frottant les mains, plus rien ne pourra l'arrêter !

À Paris, les portes s'ouvraient devant la veuve du supplicié... Hormis celle de M. de Saint-Florentin qui refusa de la recevoir : « Cette affaire ne me concerne pas, eut-il le front de dire ! Qu'elle saisisse le conseil du roi, ajouta-t-il d'un ton ironique. Mais qu'elle n'ait point trop d'espoir... Les parlements sont tout-puissants, et il y a en France plus de parlementaires que de Calas. »

Il ne savait pas encore qu'il se trompait. La rumeur enflait de plus belle, faisait son chemin dans les esprits, dans ce que M. de Voltaire appelait « l'opinion publique », cette expression qu'il avait inventée.

— Saint-Florentin a raison, ricana-t-il. Saisissons le conseil du roi. Nous verrons si, en France, les parlementaires sont si puissants que cela ! Les petits David abattront bientôt les grands Goliath !

*
* *

Dire qu'à mon arrivée, M. de Voltaire parlait de me donner quelques leçons de grammaire, d'histoire et de géographie !

L'histoire, à présent, je la vivais, j'en faisais partie,

tandis que mon tuteur en tirait les ficelles. Que j'étais loin de la liste des empereurs de Rome ! Et du petit point pour calmer les nerfs ! Et de la vie des saints !

En ce qui concernait la géographie, la carte du monde changeait de jour en jour. La guerre en était la cause. Notre pays perdait ses possessions à l'étranger. Après la Guadeloupe, les Anglais nous avaient pris nos comptoirs des Indes, ainsi que le Canada. La Louisiane suivrait sans doute bientôt. En Europe, les Prussiens avaient repoussé nos troupes sur tous les fronts.

— Cela sent la fin, me dit M. de Voltaire alors que nous venions d'apprendre la perte de la riche Martinique. Le royaume est presque ruiné.

Tout changeait, la carte comme les mentalités. Des idées nouvelles fleurissaient, semées par les philosophes. Les « Lumières » faisaient lentement leur chemin dans les esprits...

31

Un après-midi de novembre, j'étais en train de classer notre courrier lorsque la porte s'ouvrit dans mon dos.

— M. Wagnière, dis-je. M. de Voltaire est parti saluer ses visiteurs du jour.

— Je le sais, me coupa une voix qui me bloqua le souffle. Je viens de le voir avec son secrétaire, en compagnie de trois voyageurs frigorifiés.

Je me retournai pour faire face à Claude. Il poursuivit comme si nous nous étions quittés la veille :

— Il parlait de leur offrir le café au salon.

Il ne put en dire plus, car je courus me jeter dans ses bras. Il me repoussa gentiment et me disputa, un peu gêné :

— Avez-vous oublié ? Point de familiarités entre nous.

— Je ne peux donc accueillir un… vieil ami avec

quelques effusions ? lui glissai-je. Je suis heureuse de vous revoir en bonne santé.

— Je viens de rentrer. Nous avons été renvoyés pour les quartiers d'hiver. Notre armée a triste mine. Je crois que ce sera notre dernière campagne, la guerre est perdue.

— C'est ce que M. de Voltaire pense aussi.

— Je vous ai réservé ma première visite.

— Merci. Où est Marie-Jeanne ? demandai-je, étonnée de ne pas voir son tourbillon.

— Au couvent. Mon oncle Jean-Gaspard refuse qu'elle en sorte. Il a peur qu'elle attrape chez vous de mauvaises pensées. Je dois me contenter de la rencontrer au parloir.

Je hochai la tête en soupirant. Son tuteur ne lisait sûrement pas les philosophes ! En tout cas, si les mentalités évoluaient, ce n'était pas grâce à lui.

— Vous m'avez tant manqué, me glissa Claude.

Puis, malgré son interdiction, il me prit par le cou pour me donner un chaste baiser sur la joue.

— Je peux quand même retrouver une vieille amie avec quelques effusions, me parodia-t-il avec un sourire triste.

Puis il me repoussa de nouveau. À temps, car la porte s'ouvrit sur M. Wagnière. Ils se saluèrent chaleureusement, et la conversation roula aussitôt sur l'affaire Calas.

— Reprendrez-vous votre place au sein de notre groupe ? demanda le secrétaire.

— Pourquoi pas ? répondit Claude en quêtant mon approbation du regard. Si M. de Voltaire y consent.

— Personnellement, j'en serai très heureuse. Quant à mon tuteur, je pense qu'il appréciera de vous savoir parmi nous.

— Nous écrivons moins de courriers qu'avant, lui expliqua Wagnière. Mais de l'argent nous arrive de partout, qu'il faut gérer. Le père Adam, qui vous a remplacé, n'aime guère les chiffres.

— Voulez-vous que je m'en charge ? proposa Claude. Je suis plutôt doué pour les calculs !

— Avec plaisir !

*
* *

Ce mois de novembre fut des plus agréables, même si un froid mordant nous condamna à vivre repliés dans le château. Les poêles et les cheminées ronflaient d'un feu d'enfer ; nous passions frileusement nos journées devant. Malgré son bonnet, son écharpe et sa robe de chambre doublée de fourrure, M. de Voltaire s'enrhuma.

— J'ai décidé d'être heureux, c'est bon pour la santé ! nous déclara-t-il gaiement, un matin, avant d'éternuer. Je veux des rires et de la joie, en plus des potions du docteur Tronchin !

Des rires, je lui en donnais. Je l'entourais de soins, j'inventais des plaisanteries et, effectivement, sa « petite santé » s'améliora.

Cet hiver rigoureux dissuada les visiteurs de venir. Seuls le courrier et quelques aventureux franchissaient encore notre porte. L'« auberge » de Ferney était temporairement fermée.

Du coup, M. de Voltaire mangeait raisonnablement, se couchait tôt, et s'en trouvait bien. Il profita de notre « fermeture » pour s'atteler en grand secret à l'écriture d'un nouvel ouvrage. Je crus comprendre qu'il voulait relater l'affaire Calas, et en tirer des leçons de philosophie.

De mon côté, je vivais avec Claude dans une espèce d'aimable amitié. Bien sûr, nous évitions de nous toucher, et même de nous frôler. Résignés, nous ne reparlâmes plus jamais de cette triste « non-demande » en mariage qu'il m'avait faite. Grâce à ces quelques contraintes, nous maintenions entre nous une bonne entente, sans pour autant oublier nos sentiments. D'un commun accord, nous les étouffions.

Ce demi-bonheur aurait pu durer longtemps. Hélas ! le courrier du 20 novembre y mit brutalement fin.

— Chimène ! Nous avons découvert votre perle rare ! m'annonça mon tuteur en me montrant une lettre des Argental. Il se nomme Henri-Camille de Cormont de Vaugrenant. Mes chers anges[1] ne m'en disent que du bien. Ce Cormont est plutôt bel homme, âgé de vingt-sept ans, et il se passionne pour

----

1. Voltaire appelait familièrement les Argental « mes chers anges. » Il finissait ses lettres à ses amis par : « Je vous baisse le bout des ailes. »

la philosophie. Accessoirement, il est aussi capitaine de hussards. Il est bien noté par ses supérieurs, il a un avenir très prometteur. En outre, sa famille est riche, et ses parents lui ont octroyé une jolie pension.

Il en frétillait de bonheur !

Moi, je me laissai tomber sur un siège. Voilà que ses lubies de mariage le reprenaient ! Je tentai maladroitement :

— Je suis indigne d'un philosophe, monsieur. J'écris beaucoup mieux qu'à mon arrivée, mais je ne connais toujours pas la grammaire.

Il me regarda, tout étonné. Après quelques instants de silence, je poursuivis d'un air lugubre :

— Je n'ai guère envie de me marier.

— Attendez donc de le voir avant de vous prononcer, me rétorqua-t-il en riant. Il arrivera dans un mois. Quant à moi, il me convient déjà. Un philosophe... Avec de gros revenus...

Maman Denis renchérit aussitôt :

— En plus, il est bel homme. Un tel parti, Marie, cela ne se refuse pas.

Je ne cherchai plus à le faire. Tout du moins, pas devant eux.

— Je vais convoquer immédiatement mon tailleur, s'empressa-t-elle d'ajouter, tout excitée. Nous vous ferons coudre de nouvelles robes. Et puis... Engageons un professeur de chant, ainsi qu'un maître de musique... Il faut que ce M. de Cormont vous trouve irrésistible !

— Doit-elle vraiment chanter ? s'inquiéta tout à coup M. de Voltaire. Et s'il était mélomane, en plus d'être philosophe ? Pour la philosophie... Peut-être vais-je apprendre à la petite quelques maximes de La Rochefoucauld et quelques citations latines. Cela fait toujours bien dans une conversation.

Je ne voulus pas en entendre davantage. Le temps de passer un manteau, je me retrouvai dehors. J'avais besoin de respirer. Cette nouvelle m'avait assommée.

Claude me trouva dans le jardin, recroquevillée sur un banc couvert de neige, capuchon relevé et mine sombre. Après que je lui eus raconté les derniers événements, il me déclara d'un ton mal assuré :

— Votre tuteur a raison, attendez de rencontrer ce monsieur.

Je le regardai d'un air furieux :

— C'est tout ce que vous avez à me conseiller ? Cet homme, que je ne connais pas, vient pour m'épouser et vous me proposez...

— De le voir ! me coupa-t-il. Seulement de le voir. Que puis-je vous dire d'autre ? Vous savez ce qu'il en est de ma situation. Je ne peux vous épouser moi-même. Je ne possède pas un sou vaillant. Pour doter ma sœur, il me faudra vendre mes terres ! Croyez bien que je ne vous le dis pas de gaieté de cœur, mais la raison veut...

— La raison ! pestai-je en me levant brusquement. Pourquoi m'a-t-on donné une si belle éducation, si c'est pour que mon histoire se termine ainsi, par un pitoyable mariage arrangé. M. de Voltaire m'a-t-il donc enseigné à penser par moi-même pour en arriver là ?

Claude soupira. Il me prit la main et me lança :

— Fort bien. On vous a appris à réfléchir ? Profitez-en. Réfléchissez, observez et argumentez. Battez M. de Voltaire sur son propre terrain. Vous l'avez déjà fait, lorsque vous l'avez convaincu de défendre les Calas !

Je le repoussai brutalement. La solution qu'il me donnait n'était pas celle que j'attendais. J'aurais aimé que Claude me prenne dans ses bras, qu'il me couvre de baisers, et qu'il me dise : « Fuyons ensemble, Marie ! Qu'importe, nous nous cacherons, et nous vivrons heureux dans la misère ! »

Quelle phrase idiote, pensai-je juste après. Nous étions mineurs tous les deux, nous aurions eu toutes les polices de France et de Navarre à nos trousses. De plus, j'avais connu la misère, je n'avais aucune envie d'y retomber. Et Marie-Jeanne ? Devrait-elle souffrir de notre comportement, digne d'un mauvais roman ?

— Vous avez raison, lui dis-je en me redressant. Maudite raison… Je déteste ce mot. Je vais recevoir ce monsieur. Et puis, qui sait, raillai-je, peut-être qu'il me plaira !

Après quoi, nous rentrâmes tous les deux, l'air aussi morose l'un que l'autre.

32

Mon prétendant arriva à la mi-décembre. Depuis trois semaines que nous l'attendions, j'avais eu le temps de me préparer à cette rencontre. Pour la paix de tous, j'étais décidée à lui faire bonne figure, quitte à contester, par la suite, les arrangements de mon tuteur.

Au lieu de voyager en voiture, M. de Cormont fit la route à cheval, avec son valet et une monture supplémentaire qui portait ses bagages. M. de Voltaire trouva cela fort « cavalier » pour un hussard, ce qui amusa beaucoup Maman Denis. Moi pas.

Je ne connaissais qu'un autre soldat, Claude. L'homme que l'on me présenta, ce soir-là, n'avait rien de commun avec lui. Grand, blond, un regard bleu acier, le menton carré, il avait fait assaut d'élégance et revêtu justaucorps brodé, bas de soie et perruque poudrée. Certaines femmes, dans les salons parisiens, devaient sans doute lui trouver quelques ressemblances avec le prince charmant : il n'était pas laid, loin sans faut. Cependant, il montra d'emblée envers moi une froideur qui me pétrifia.

— Voici Mlle Corneille, fit mon tuteur, tout miel. Elle aime les philosophes, même si elle ne maîtrise pas tout à fait l'orthographe et la grammaire. « Nous » lisons peu, mais « nous » écrivons de mieux en mieux, lui glissa-t-il en roulant des yeux.

Mon prétendant le prit au premier degré. Il s'empressa de répondre :

— Je me moque que ma future femme soit instruite. Elle en saura toujours assez pour tenir notre maison.

Je lui fis une révérence, qu'il me rendit avec une raideur toute militaire.

— Eh bien, comment la trouvez-vous ? le pressa M. de Voltaire en parlant de moi.

— Mademoiselle me semble fort correcte.

Correcte ? Je me sentis vexée. On m'avait vêtue de ma plus belle robe neuve, parée d'un collier de perles de Maman Denis, coiffée en rouleaux et poudrée d'iris… Correcte ? Je n'étais pas correcte, j'étais parfaite.

Cet homme, mon futur mari, ne marquait pas le moindre intérêt pour moi. Il me le prouva la seconde d'après, en poursuivant pour mon tuteur :

— N'allez pas imaginer quoi que ce soit. Nous épousons mademoiselle à cause de… l'attachement que vous en avez. Car nous possédons pour vous le plus grand respect.

Quel cinglant aveu ! Voilà qui augurait bien de l'avenir. Croyant faire de l'esprit, il avait utilisé le mot « nous » pour imiter et flatter M. de Voltaire. Or, dans la bouche de mon tuteur, ce « nous » était tout de douceur et de tendresse. Dans celle de mon prétendant, le mot sonnait comme un édit royal[1].

— Avez-vous lu Virgile ? lui demanda M. de Voltaire.

— Non, répliqua Cormont. Pourquoi ? J'aurais dû ?

Oui, il aurait dû. Notre philosophe réprima une grimace de déception. Pour lui, tout homme cultivé devait au moins avoir lu Virgile, ou à la rigueur Cicéron. En latin, bien sûr.

— Je le ferai un jour ou l'autre, se rattrapa M. de Cormont d'un air dégagé. Avec la guerre, je n'en ai pas eu le temps.

Trop tard, pensai-je avec délectation, le mal était fait. Lorsque Henri-Camille de Cormont de Vaugrenant ajouta, comme si je n'étais pas là : « À présent, peut-on discuter de la dot ? », je quittai la pièce, menton haut.

Maman Denis m'attendait derrière la porte.

— Il est odieux ! pestai-je au bord des larmes. Froid. Glacial ! Mais, ne vous effrayez pas, je ne ferai pas d'esclandre. C'est un bon parti, je n'ai pas à me plaindre.

---

1. Le roi s'adressait au peuple en parlant à la première personne du pluriel. Ainsi est née l'expression : le roi dit « nous voulons ».

Ma mère adoptive en resta muette. Puis elle passa un bras affectueux autour de mes épaules et me rassura :

— Allons, ma chérie, il vient tout juste d'arriver. Laissons-lui le temps de s'installer. Les soldats sont parfois malhabiles dans les salons. Vous verrez qu'au repas il sera plus aimable.

Il ne le fut pas. Il sembla même très étonné de me trouver à sa table :

— Vous dînez donc avec nous ? me lança-t-il.

M. Wagnière m'aida à m'asseoir, ce que M. de Cormont avait négligé de faire lui-même. Tout en dépliant ma serviette, je m'appliquai à répondre :

— Oui. Où pensiez-vous que je mangerais ?

— À l'office, bien sûr.

Je ne savais s'il fallait en rire ou en pleurer ! Mais Mme Denis avait entendu. Je la vis rougir. Elle répondit à ma place :

— Monsieur, Marie est comme ma fille. Ce n'est pas une parente pauvre qui sert de dame de compagnie et qui loge avec les domestiques ! Vous m'offenseriez en pensant que nous la traitons mal.

— Excusez-moi, se reprit-il. On m'avait affirmé à Paris que mademoiselle vivait ici par charité.

— À nous, on nous a affirmé que vous étiez philosophe, répliqua-t-elle sèchement. Quel genre de philosophe êtes-vous donc, pour croire que Voltaire traiterait la descendante du grand Corneille comme quantité négligeable ?

Il se garda de répondre, car mon tuteur arrivait, appuyé sur sa canne. Le souper commença.

Par chance, on se cantonna à des conversations d'une consternante banalité. Ensuite, Voltaire entama sa partie d'échecs avec le père Adam, tout en me surveillant du coin de l'œil. Wagnière lisait. Mme Denis jugea de son devoir de me servir de chaperon.

— Aimez-vous la danse ? demanda-t-elle à M. de Cormont avec une amabilité forcée. Mlle Corneille l'apprécie assez, à condition qu'elle ne soit pas trop rapide.

Il haussa les épaules :

— Je n'aime pas danser.

La réponse était sèche et précise, mais elle me fit plaisir. Il m'aurait fort déplu de danser avec cet homme.

— Et le chant ? poursuivit-elle. Marie possède un joli brin de voix.

— Je n'entends rien à la musique.

De mieux en mieux, pensai-je en voyant le visage de ma mère adoptive s'allonger.

— Et le théâtre ? Jouez-vous un peu ?

Je me demandai bien pourquoi Maman Denis insistait ! Ce monsieur ne s'intéressait à rien, c'était évident. D'ailleurs, il répondit du bout des lèvres :

— Quelle futilité, le théâtre ! Il y a des professionnels pour cela.

Je manquai me mettre à rire. On se serait cru dans une mauvaise comédie. Maman s'entêta :

— Mais alors, à quoi passez-vous vos soirées ?

— J'aime assez la conversation.

Là, je me mis à rire franchement. M. de Cormont me toisa du regard, mais c'était trop drôle, je continuai à pouffer ! De quoi pouvait-il donc discuter, le soir à la veillée, avec ses phrases courtes sans intérêt, et son air pincé ?

— Et, demanda Mme Denis avec un sourire coincé, comment envisagez-vous le mariage ?

— Comme tout homme raisonnable. J'entends être maître chez moi, et que mon épouse m'obéisse.

Nous vit-il devenir blêmes ? Non, tant il était sûr de lui. Maman, ironique s'empressa de lui répondre :

— Vous êtes comme Arnolphe, de *L'École des femmes,* de Molière.

— Et pourquoi donc ?

À son air, il était évident qu'il ne connaissait pas la pièce. Nous si. Et par cœur. Mme Denis lui déclama alors, pensant sans doute lui faire honte, le couplet que le vieux barbon lance à la jeune Agnès :

— *« Votre sexe n'est là que pour la dépendance :*
Du côté de la barbe est la toute-puissance.
Bien qu'on soit deux moitiés de la société,
Ces deux moitiés pourtant n'ont point d'égalité ;
L'une est moitié suprême, et l'autre subalterne ;
L'une en tout est soumise à l'autre, qui gouverne... »

— C'est exactement cela ! lança M. de Cormont, ravi.

Découragée, Maman m'abandonna pour se mettre au clavecin. Après trois bonnes minutes d'un long silence gelé, je pris congé. Je montai les escaliers en me disant que, si je n'y prenais garde, le reste de mes jours risquait d'être terriblement ennuyeux.

*
* *

Agathe finit de noircir le tableau. Tout en me déshabillant, elle me conta comment, avec d'autres domestiques soucieux de mon avenir, elle avait « cuisiné » le valet de M. de Cormont. Après quelques pichets de vin et bon nombre de tapes amicales dans le dos, celui-ci avoua que son maître m'épousait pour ma dot. Il avait appris à Paris qu'elle se montait à quarante mille livres. Une fortune ! Il prenait cette somme pour un caprice de riche vieillard sénile, et comptait en profiter en concluant l'affaire au plus vite.

— Ne le prenez pas mal, ajouta Agathe, mais il nous a raconté que son maître avait honte de se lier avec une roturière[2] telle que vous. Seulement, il semble qu'il soit couvert de dettes.

Je retins ma respiration. Mme d'Argental nous avait pourtant affirmé que ce monsieur possédait une jolie pension donnée par son père. Il n'en était donc rien ? Il mentait ?

_____

2. Terme péjoratif pour désigner une personne qui n'est pas de naissance noble.

Dès l'aube, je courus chez mon tuteur. Je le trouvai au lit et me jetai à genoux près de lui. Après lui avoir tout raconté, je le vis hocher la tête d'un air indécis :

— Si la chose est exacte, j'en serais bien ennuyé. À moi, il me plaît assez, ce Cormont… Il est vrai qu'il a l'air un peu obtus pour un philosophe, ce n'est qu'un demi-philosophe ! ajouta-t-il en riant.

Puis, voyant qu'il ne m'amusait pas, il termina :

— Comptez sur moi, je vais creuser l'affaire.

Le jour même, il écrivit aux Argental, afin qu'ils mènent une enquête plus approfondie sur mon prétendant. En attendant de recevoir leur réponse, je dus le supporter.

Et il s'accrochait, le bougre ! Il comprit très vite le parti qu'il pouvait tirer de la situation. La vie à Ferney était des plus agréables. Notre table était excellente, les chambres possédaient tout le confort possible, ses trois chevaux mangeaient notre meilleur foin, et il n'avait pas un sou à débourser… Je crus reconnaître un peu de mon père en lui !

Nous lui présentâmes Claude, bien sûr. Ils se détestèrent au premier regard. Non par jalousie, mais parce qu'ils n'avaient rien en commun, à part l'armée. Et encore.

— Les hussards sont supérieurs aux dragons, m'expliqua M. de Cormont de son air pincé. Je suis officier, capitaine d'une compagnie, alors que M. Dupuits n'est qu'un petit cornette qui me doit le respect.

— Nous ne sommes pas à l'armée, le repris-je. M. Dupuits est notre voisin et notre ami, soyez aimable de vous en souvenir.

Il me lança un de ces regards qui impressionnaient sans doute ses soldats, mais pas moi. S'il entendait me régenter et me donner des ordres, il risquait d'être déçu !

Ce n'est qu'ensuite qu'il devint jaloux de Claude, lorsqu'il constata que la maisonnée tenait des « réunions secrètes » dans la bibliothèque. Claude participait, pas lui.

— Que faites-vous donc ? demanda-t-il en nous découvrant assis autour de notre table de travail.

Il nous avait entendus rire et avait poussé la porte.

— Nous venons de recevoir deux lettres de Paris, lui dis-je. C'est merveilleux ! Les demoiselles Calas ont été libérées de leurs couvents ! Notre action a porté ses fruits. Nous avons gagné !

— Et le conseil du roi serait enfin prêt à étudier le dossier du procès Calas, poursuivit M. de Voltaire.

Naturellement, nous en faisions des bonds de bonheur ! Comme mon prétendant nous regardait avec des yeux ronds, M. de Voltaire lui expliqua :

— Le conseil du roi a seul l'autorité pour faire réviser cet indigne jugement. Malheureusement, il exige les pièces originales, détenues par Toulouse. Or, Toulouse refuse de s'en dessaisir.

— Elles doivent être si pleines de vide, raillai-je, d'erreurs et de bêtises, que les capitouls en ont honte !

Mais, plus que la honte, c'est leur honneur et leur indépendance qui est en jeu.

— Vous vous intéressez donc à ces choses ? s'étonna M. de Cormont avec une moue.

— Bien sûr, fis-je. Voulez-vous nous aider ?

J'attends toujours sa réponse ! Claude reprit :

— Le parlement réclame… mille cinq cents livres pour faire des copies du dossier.

— Ils se moquent de nous ! s'enflamma mon tuteur.

— Tout est bon pour nous mettre des bâtons dans les roues ! approuvai-je. Ils pensent que Mme Calas ne pourra pas payer.

— Avons-nous l'argent ?

— Oh ! vingt fois plus ! répliqua Claude en riant.

— Alors, payons ! ordonna Voltaire.

Et on nous entendit crier de joie dans toute la maison !

Lors du repas suivant, M. de Cormont lança à mon tuteur :

— N'y voyez nulle critique mais, au lieu de gâcher votre temps si précieux à défendre ces protestants, vous devriez plutôt nous écrire une de ces remarquables tragédies dont vous possédez le secret.

Devant cette flatterie grossière, M. de Voltaire se contenta de sourire. Ce fut moi qui répondis :

— Il est vrai que les tragédies de M. de Voltaire sont d'une grande beauté, édifiantes, avec des alexandrins divins, comme on n'en a plus fait depuis… Corneille. Cependant, défendre de pauvres gens, protestants ou pas, n'est pas une perte de temps.

Mon tuteur fit alors mine de répondre avec émotion :

— Oh, ma pupille, que cela est gentil ! Savez-vous que certaines personnes trouvent mes tragédies pompeuses et ennuyeuses ? Certaines même me préfèrent Jean-Jacques Rousseau.

— Non, vraiment ? m'étonnai-je faussement. Il s'agit sûrement de gens sans goût, qui ne vous connaissent pas. En ce qui concerne l'affaire Calas, monsieur de Cormont, poursuivis-je pour le jeune homme, vous tombez fort mal. Toute notre maison est favorable à cette cause.

Vexé, et se voyant seul contre tous, il décida de changer de conversation.

— Alors, demanda-t-il, à quand la noce ? Je suis chez vous depuis maintenant trois semaines, il n'y a aucune raison de patienter davantage.

— Dès que nous aurons reçu l'accord de vos parents, répondit Voltaire d'un ton aimable. Je leur ai écrit. C'est la moindre des choses, entre gens du monde.

— Inutile d'attendre leur accord. Ils sont au courant de mes projets, rétorqua Cormont, et ils les approuvent. De toute façon, je suis majeur, je n'ai nul besoin de leur accord.

Mon tuteur lui sourit de plus belle.

— Vous connaissez le montant de la dot de Mlle Corneille, mais je ne sais rien de ce que votre famille va vous accorder. En bon père, je me dois de protéger les intérêts de ma fille adoptive.

M. de Cormont le regarda, tout étonné :

— Je vous l'ai déjà dit. Mes parents sont très âgés. J'hériterai bientôt de tous leurs biens. J'ai une sœur, mais elle n'aura que sa dot. Pour mon mariage, ils me donneront une terre dans la Bresse, avec un revenu de cinq mille livres par an.

*
* *

Hélas pour notre capitaine, son valet supportait mal l'alcool. Nous apprîmes, grâce à Agathe, que M. et Mme Cormont n'avaient pas cinquante ans et aucune envie de mourir. De plus, leur fille recevrait une partie de l'héritage. Quant à la fameuse terre de la Bresse, elle ne rapportait, les bonnes années, que deux mille livres.

— La lettre de ses parents nous parviendra bientôt, insista malgré tout M. de Voltaire. Ce demi-philosophe me semble... vraiment intéressant. Il est fait d'une espèce de matière brute qui n'attend que la main du sculpteur. Un véritable défi pour l'artiste et le penseur que je suis.

— Ce monsieur est un menteur qui nous trompe !

— Nous qui aimons tant la justice, me reprit-il, ne le condamnons pas sur quelques ragots de cuisine. Ce sont nos anges d'Argental qui nous l'ont adressé, je ne peux leur faire l'affront de le mettre dehors.

— Enfin ! insistai-je. Il ne m'épouse que pour ma dot ! Il n'a pas un sou.

— Certes, mais Cormont est bel homme et il possède un grand nom… Comme la paix sera signée dans quelques jours, nous pourrions lui trouver un emploi à Genève, et il resterait vivre ici, avec nous…

Je le regardai, bouche bée, comme s'il avait perdu l'esprit :

— Ai-je bien compris ?

Il opina du chef et m'expliqua :

— Chimène, vous devrez vous marier un jour ou l'autre. Or, il me déplaît de vous voir partir loin de moi. Épousez M. de Cormont et restez tous les deux sous mon toit. Vous nous ferez des petits, et j'apprendrai la philosophie à votre époux, puisqu'il en manque. Je serai alors le plus heureux des hommes.

— Voilà qui dépasse l'entendement ! pesta sa nièce. Je ne l'aime pas, ce Cormont !

— Ah, moi non plus ! approuvai-je

— Moi, je l'aime bien, persista M. de Voltaire, en dépit de nos remarques.

Claude et moi nous retrouvâmes peu après dans le jardin. Le froid faisait naître de la buée blanche à chacune de nos paroles.

— Je n'en puis plus ! explosai-je. Mon tuteur est coiffé de cet homme. Il propose même de nous garder chez lui. Vous verrez que ces maudites noces finiront par se faire !

— J'en suis navré pour vous, me déclara Claude.

Ses beaux yeux gris brillaient de sincérité. Il me prit la main pour la serrer entre les siennes. Puis il

261

baissa la tête vers moi à me toucher et poursuivit en soupirant :

— Je n'ai aucun droit de m'immiscer dans votre projet de mariage, mais effectivement, Cormont est indigne de vous. Si seulement je pouvais…

Je lui posai ma main gantée sur la bouche pour le faire taire, avec un « chut » proche d'un sanglot.

— Vous êtes le meilleur des amis, Claude, lui glissai-je. La vie m'a donné la plus incroyable des destinées mais, hélas, il semble que l'amour n'en fasse pas partie.

— Alors battez-vous ! répliqua-t-il en repoussant mes doigts. Ne laissez pas ce parasite gagner !

Il m'embrassa, et je m'abandonnai.

*
* *

Que devenait donc la fée des Écrivains ? Rien. Elle devait sans doute mourir de froid, sur son nuage, au-dessus des Alpes, sa précieuse baguette gelée et inefficace… Je l'imaginai, soufflant dessus pour la réchauffer.

Elle parvint à la dégeler un peu.

Le lendemain, une lettre de M. et Mme d'Argental me remplit de joie. Ils connaissaient à peine leur protégé, nous disaient-ils, et regrettaient de nous l'avoir envoyé. Après enquête, il apparaissait que M. de Cormont était couvert de dettes, et qu'il avait été rejeté par sa famille. Ayant appris le montant de ma dot, il

262

avait manipulé nos amis, afin de se faire introduire à Ferney.

— Le voulez-vous toujours chez vous ? ironisai-je, bras croisés, devant M. de Voltaire.

— Attendons encore la réponse de ses parents, me répliqua-t-il prudemment.

— Oh !

Je ruminais ma mauvaise humeur, tandis que Maman Denis s'empiffrait de gâteaux.

— Si cela ne tenait qu'à moi…, marmonna-t-elle.

Puis, enfin, l'accord de M. de Cormont père nous parvint. Nous nous réunîmes en grand secret.

— Cormont père n'est pas dur, nous déclara mon tuteur en agitant le courrier sous notre nez, c'est une barre de fer ! Il accepte de donner à son fils seulement mille livres de rente. Le bonhomme emploie des mots très vulgaires pour parler de vous, ma Chimène. Il affirme que nous y gagnons, puisque vous aurez l'honneur de porter le patronyme glorieux transmis par ses aïeuls !

— Qu'il le garde donc, son fichu nom ! pestai-je tout bas.

— Quel rustre ! ajouta Mme Denis. Je n'aime vraiment pas ces Cormont, ni le père, ni le fils.

— Je ne veux pas l'épouser, déclarai-je haut et fort.

— Un coureur de dot, renchérit Maman. Encore un qui possède plus d'ancêtres que d'argent !

— Et il n'a pas lu Virgile, reconnut mon tuteur de mauvaise grâce.

Ce fut Maman Denis qui lança le mot de la fin :

— Il faut nous en débarrasser. Et vite.

33

C'était plus facile à dire qu'à faire.

— Votre père ne donne rien, lui expliqua M. de Voltaire, moi beaucoup. Comprenez, monsieur, que malgré le nom glorieux de vos ancêtres, je ne peux accepter cette union. Il vaut mieux que vous partiez.

Mais M. de Cormont, voyant la fortune s'éloigner à grands pas, s'accrocha bec et ongles. Il tomba malade fort à propos et obtint l'autorisation de rester encore quelques jours. Il en profita pour me courtiser. Sans doute pensait-il me voir succomber sous son charme, assez en tout cas pour que je fasse revenir mon tuteur sur sa décision. Autant dire que je le reçus avec la froideur qu'il méritait !

Alors, il devint plus entreprenant. Il alla jusqu'à me coincer, un après-midi, à la porte du salon. Claude nous découvrit, Cormont tentant de me dérober un baiser, et moi ruant comme un beau diable pour lui échapper.

— Assez ! hurla Claude en l'attrapant par le col.

Il me sembla que ce butor volait dans la pièce, tant Claude tira fort ! Cormont atterrit contre le mur, avant de s'effondrer au sol. Il se releva, furieux et prêt à en découdre.

Fort heureusement, mon tuteur, alerté par le bruit, arriva accompagné de Maman, de M. Wagnière et de plusieurs domestiques.

Je courus me cacher derrière Claude sans dire un mot. D'ailleurs, c'était inutile, tout le monde avait compris. M. de Voltaire, impassible, se contenta de déclarer :

— Je crois, monsieur de Cormont, qu'il est temps pour vous de quitter cette maison. Je vous retire mon hospitalité, dont vous avez abusé.

L'autre salua, rajusta sa perruque et son justaucorps avant de me lancer un regard noir. Une heure plus tard, nous entendions ses trois chevaux partir au galop.

Assise, je me remettais de mes émotions. Mon tuteur, qui oubliait sans doute combien il avait apprécié son « candidat », nous déclara :

— Qu'attendre d'autre de la part d'un militaire, d'un homme qui fait profession de tuer les gens pour de l'argent ?

— C'est aussi mon cas, se défendit aussitôt Claude.

Voltaire leva la tête pour le regarder, avant de lui donner une tape amicale sur l'épaule :

— Oui, mais vous, mon petit Dupuits, vous avez lu Virgile, cela compense.

Ce soir-là, je racontai la scène à Agathe tandis qu'elle me déshabillait.

— Vous l'avez échappé belle, me dit-elle. Ce Cormont commençait à répandre des bruits, comme quoi vous lui aviez accordé vos faveurs.

— Oh ! m'indignai-je

— Après cela, une fois votre réputation détruite, il ne vous restait plus qu'à l'épouser. Heureusement que M. Dupuits vous a secourue.

Tout en tapant mes oreillers, elle ajouta :

— Curieux comme M. Dupuits ressemble sur bien des points à M. de Cormont…

— Tu te trompes, Agathe. Ils n'ont rien de commun.

— Bien sûr que si ! Tous deux sont dans l'armée, tous deux ont des dettes…

— Qui t'a dit que M. Dupuits avait des dettes ? m'inquiétai-je.

Elle haussa les épaules en riant :

— Voyons ! C'est un secret de polichinelle ! Toute la région sait que son oncle, le marin, l'a ruiné. Donc… Tous deux sont jeunes, beaux, et tous deux n'ont aucune aide de leur famille. Mais, curieusement, M. de Voltaire préférait ce grand bellâtre prétentieux à notre gentil voisin. Allez comprendre pourquoi !

Je me mis au lit et elle souffla ma chandelle. Lorsque la porte se referma, je repensai à ses mots. Quelques minutes plus tard, je souriais dans le noir.

Cette nuit-là, je dormis comme un ange.

34

Ce 23 janvier 1763, je me levai, bien décidée à soulever des montagnes.

J'avais en tête la phrase que Claude m'avait lancée
à l'arrivée de M. de Cormont : « On vous a appris à
réfléchir ? Réfléchissez, observez et argumentez. Battez M. de Voltaire sur son propre terrain… »

Je frappai à la chambre de mon tuteur et le trouvai
encore au lit, en train de boire son café. J'allai m'asseoir
à ses pieds, tout sourire, et j'attaquai avec bonne
humeur :

— Vous rêvez de me voir mariée, n'est-ce pas ?

— Bien sûr ! me répondit-il en riant. Mais après
ce dernier désastre, je préférerais que ce soit avec un
parti convenable.

Je réfléchis à peine avant de poursuivre :

— Il est vrai que M. de Cormont était dans l'armée,
couvert de dettes, et que sa famille ne le soutenait pas…

Il me montra la cafetière. Je me levai pour lui servir une nouvelle tasse.

— Oui, répondit-il, tout cela était fort dommage, mais pas insurmontable. S'il ne nous avait pas menti, et ne vous avait pas agressée, nous aurions pu nous arranger…

— Naturellement, approuvai-je. Bien sûr, vous auriez préféré qu'il ait lu Virgile…

— Et qu'il connaisse un peu de philosophie, ajouta-t-il en riant de nouveau.

Il reprit sa tasse pleine que je sucrai. Mine de rien, je continuai, tandis qu'il la remuait :

— C'eût été encore mieux s'il avait joué au tripot et s'il s'était intéressé, comme nous, à l'affaire Calas.

Après une gorgée, M. de Voltaire approuva :

— J'aurais été au paradis.

Je soupirai à fendre l'âme. Dire que je lui montais une comédie dont il était loin de se douter ! Tête basse, je caressai les dentelles de mon corsage, avant de lui glisser :

— Vous m'avez avoué une chose fort gentille. Que vous vouliez me garder près de vous. Le pensiez-vous vraiment ?

Intrigué, il reposa sa tasse sur le plateau placé au bord du lit, puis il expliqua d'un air navré :

— Les filles sont destinées à être mariées. C'est ainsi. Cependant, je n'ai aucune envie de me séparer de vous. J'aime votre présence, vos rires, votre spontanéité. Ici, à part vous, personne n'ose me donner la réplique. Je soliloque ! Me retrouver dans cette maison, entre ma nièce, Wagnière et le père Adam... Ce serait à mourir d'ennui !

Sans qu'il s'en rende compte, je venais de le mener là où je souhaitais. Après un nouveau soupir, je tentai :

— Il y aurait bien une solution...

— Laquelle ?

— Claude Dupuits de la Chaux, lui dis-je en regardant mes ongles.

À son tour, il soupira :

— Non, ma pauvre enfant, nous en avons déjà discuté. Il est couvert de dettes. Je l'ai même endetté encore davantage en lui prêtant de l'argent. De plus, il est dans l'armée, dans une situation fort précaire, et n'a aucune famille pour le soutenir... Sans parler de son petit pâté !

Je réprimai un sourire et repoussai doucement une boucle brune qui retombait sur mon front :

— Ah tiens, j'avais oublié... M. de Cormont, lui aussi, a une sœur. Que de coïncidences ! Mais, voilà qui est étrange... Vous avez employé les mêmes mots, tout à l'heure, pour parler de lui. Et vous m'avez même dit que sa situation n'était pas insurmontable, que l'on aurait pu s'arranger... Pourquoi pourrait-on s'arranger de dettes de M. de Cormont, et pas de celles de M. Dupuits ?

Je l'entendis s'étouffer avec son café avant qu'il ne repose sa tasse. Il me regarda, médusé :

— Seigneur ! Voilà que vous vous mettez à palabrer comme un paysan à la foire.

— J'aurais préféré « argumenter comme un avocat »,

269

le repris-je d'un air faussement sérieux. Puis-je poursuivre ?

Je me levai tandis qu'il croisait les bras. Il repoussa
son bonnet de nuit qui lui tombait sur les yeux et me
dit galamment :

— Faites, je vous en prie !

— M. Dupuits a des dettes, certes, il est dans
l'armée, certes, il n'a point de famille pour l'aider,
certes, mais tout cela n'a rien d'insurmontable, comme
nous l'avons déjà démontré. Par ailleurs, il a lu Virgile,
vous l'avez admis vous-même hier. Il aime la philosophie. Il joue au tripot très correctement. Il connaît
l'affaire Calas sur le bout des doigts. Il est bel homme.
Il possède un nom honorable, et pour finir... Il vit à
une lieue de Ferney.

— Et alors ? me jeta-t-il avec une évidente mauvaise foi.

— Alors, je vous demande d'offrir à M. Dupuits
ce que vous étiez prêt à accorder à M. de Cormont.
Sans compter que vous n'auriez qu'à vous en féliciter,
car je resterai ici, avec vous, et que je vous ferai autant
de petits Dupuits que vous le souhaitez !

Il ne put s'empêcher de rire ! J'en profitai pour
sauter sur le lit, et à genoux, je lui lançai mon dernier
argument :

— Autre chose ! Cormont m'aimait pour ma dot,
Claude, lui, m'aime... pour moi-même. Et moi, je
l'aime aussi. N'est-ce pas là la meilleure des raisons ?

Après quoi je me jetai à son cou pour lui planter
un baiser sur la joue. Le café se renversa sur les draps,

je l'entendis pester tant et plus, mais je n'en tins pas compte. Je me levai, tel un ressort, et je m'enfuis aussitôt. Sur le pas de la porte, je me retournai pour lui dire :

— Je vous laisse réfléchir à tout cela.

Toute ma vie, je garderai en mémoire son air éberlué, son grand sourire édenté, et son bonnet de travers qui mettait à nu une partie de son crâne aux cheveux blancs ! Tout au fond de moi, j'étais sûre d'avoir gagné.

Claude arriva dans la matinée. Lorsqu'il nous rejoignit au salon, M. de Voltaire lui lança :

— Mon petit Dupuits, j'ai une demande à vous faire…

Claude le regarda avec étonnement, avant d'acquiescer :

— Tout ce que vous voudrez, monsieur.

— Ne le prenez pas à la légère, l'affaire est grave. J'ai dans ces murs une jeune personne sans beaucoup d'éducation, dont je cherche à me débarrasser. J'avoue qu'elle est fort indisciplinée et que je ne peux rien en tirer. Je vous la cède de grand cœur. Bien sûr, il faudra vous en occuper. Elle joue un peu au tripot, parle beaucoup, lit du « Jean-Jacques », hélas ! et rit souvent. Enfin, pas trop en ce moment. À cause de vous.

Il posa sa canne et m'attrapa par le bras pour me pousser vers notre voisin :

— Épousez-la ! Vous me rendriez service.

Mais Claude restait indécis : était-ce une nouvelle pièce ? Une tirade d'une comédie en écriture ? Une plaisanterie ?

271

— Dites oui ! insista M. de Voltaire, alors que je me mettais à rire. Ce ne sera pas gratuit, ajouta-t-il, je vous préviens. Il vous faudra habiter ici avec elle, et me faire des petits-enfants.

Mon pauvre Claude rougit ! Aucun mot ne parvenait à sortir de sa bouche. Alors, je me jetai dans ses bras. Lorsqu'il vit les mines réjouies de Voltaire et de Maman Denis, il comprit enfin que ce n'était pas une farce.

— Si c'est pour vous rendre service…, finit-il par déclarer. Je veux bien vous en débarrasser.

Et il me serra contre lui.

*
* *

Le jour même, M. de Voltaire avertit tous ses amis par courrier :

Nous marions Mlle Corneille à M. Dupuits, un gentilhomme de vingt-trois ans, cornette de dragons, sage, doux, brave, d'une jolie figure, aimant le service du roi et sa fiancée passionnément, possédant 8 000 livres de rente, et vivant à la porte de Ferney. Je les loge tous deux, nous sommes tous heureux, je finis en patriarche…

Ah, le tourbillon ! La maison était sens dessus dessous !

— Il faut nous dépêcher, me dit Maman Denis. Dans quelques semaines, ce sera le carême. Impossible de célébrer des noces durant le carême. Imaginez notre repas sans viande, ni beurre, ni desserts…

— Eh bien, marions-les tout de suite ! proposa M. de Voltaire. D'autant que le tuteur de notre Dupuits a annoncé sa venue. Nous ne pouvons rien organiser sans son accord.

Claude et moi, nous ne demandions pas mieux. Nous étions inséparables et impatients.

— À propos de tuteur, ajouta M. de Voltaire. Nous avons oublié un détail. Jean-François, le trotteur des rues…

— Qui donc ? s'étonna sa nièce.

Moi, j'avais compris. Je retins mon souffle.

— Papa Corneille, le facteur de la Petite Poste, traduisit-il. Je ne veux point vous offenser, ma Chimène, mais je ne tiens pas à l'inviter à la noce. Ce n'est pas parce que je marie la fille, que je dois épouser sa famille !

Je comprenais parfaitement son attitude. Moi-même, je n'avais aucune envie de voir mon père. D'ailleurs, depuis son déménagement, j'ignorais son adresse. Je ne lui avais pas écrit depuis des mois, et lui ne m'avait donné aucune nouvelle.

— Il nous faudra pourtant son accord, glissa Maman Denis. Marie est mineure. Je ne me souviens pas d'avoir lu, dans les papiers qu'il vous a signés, qu'il vous autorisait à marier la petite à votre gré…

— La peste soit de ce trouble-fête ! soupira M. de Voltaire. Demandons aux Argental de régler cette affaire au plus vite, avec quelques arguments sonnants et trébuchants.

Il se tourna vers moi et ajouta :

— Ce n'est qu'un contretemps, que nous réglerons sans peine. Le vrai problème, c'est que votre père aime à jeter l'argent par les fenêtres, tout comme son oncle Pierre faisait des vers : avec hâte. Si nous n'y prenons garde, nous le reverrons bientôt ici, la larme à l'œil, la main tendue, et ses souliers crottés pour salir mes tapis.

Cette conversation m'ôta toute ma joie. Je finis par avouer :

— Papa n'acceptera pas. Lorsqu'il est venu à Ferney, il m'a dit : « Garde-toi de te marier jamais, je ne donnerai pas mon accord ! »

Naturellement, je ne lui racontai pas l'intégralité de notre conversation. En outre, je savais Papa assez obtus pour empêcher ce mariage, rien que pour avoir le dernier mot.

M. de Voltaire, lui, le prit en riant :

— J'en fais mon affaire, Cornélie-Chiffon, vous l'aurez votre Dupuits. Occupez-vous de votre robe de mariée, je me charge du bonhomme Jean-François. Je sais comment le rendre aimable et de bonne humeur.

Il me mit dehors, avec une tape sur les fesses, comme une enfant.

Je n'appris que plus tard ce qu'il avait manigancé : il envoya les Argental à la recherche de mes parents. Ils avaient quitté le faubourg Saint-Antoine, et emménagé dans une maison, rue Saint-Denis.

— Il n'y aura pas de mariage ! beugla Papa. Marie sait c'que j'en pense !

Ma mère le supplia, rien n'y fit. Enfin si, il commença à changer d'avis lorsque le comte d'Argental sortit une bourse.

Voltaire lui avait donné des ordres. Mes parents ne devaient en aucun cas venir à la noce. En contrepartie, il leur offrait un entrepôt de tabac, à Évreux, avec un revenu de deux cents livres par mois. Ils devaient l'accepter sans concession, et quitter Paris.

— Deux cents livres, commenta Mme d'Argental, c'est quatre fois ce que vous gagnez aujourd'hui comme facteur. Vous deviendrez un notable. Seulement, ajouta-t-elle, il ne faudra plus embêter M. de Voltaire.

Le comte d'Argental soupesa la bourse et l'ouvrit. Dedans, il y avait deux lettres et de belles pièces d'or. Mon père tendit aussitôt la main, mais le comte le repoussa pour se tourner vers ma mère :

— Madame, voici un courrier de votre fille. Ce serait aimable à vous d'y répondre. Le second est de M. Dupuits, qui vous fait une demande en mariage fort honnête pour Marie. Ensuite… Il y a là vingt-cinq louis d'or. Je vous en ferai donner un chaque mois.

— Oui, mais dans vingt-cinq mois, y'en aura plus ! s'inquiéta mon père. J'sais compter !

— Il y en aura encore, lui apprit la comtesse. M. de Voltaire réunit pour vous un pécule… Plus de dix mille livres.

— Foutredieu ! s'écria mon père, aux anges.

— Ne vous emballez pas. Cet argent sera placé, vous n'en toucherez que les intérêts, afin que vous ne le dilapidiez pas.

Mon père râla, pesta, enragea, puis il finit par m'autoriser à épouser Claude.

*
* *

Le même chantage eut lieu côté Dupuits.

Aveuglé par la neige, M. de Voltaire n'y voyait guère depuis plusieurs jours. Pour ne pas fatiguer ses yeux, il recevait ses invités dans une quasi-obscurité. Comme l'oncle de Claude était de retour sur ses terres, entre deux voyages, il prit rendez-vous avec lui. Le marin entra dans la pièce sombre et marcha, bras tendus, avant de buter contre une chaise.

— Ne peut-on éclairer ? se plaignit-il en vain.

D'entrée, Jean-Gaspard Dupuits se fit tirer l'oreille. De même qu'il n'appréciait pas que Marie-Jeanne passe ses journées à Ferney, il voyait d'un mauvais œil que son neveu, seigneur de la Chaux, de Versonnex, de Maconnex, et d'autres lieux, épouse la protégée d'un agitateur public. Pire, la demoiselle en question avait pour père un simple facteur. Cela ne s'était jamais vu dans aucune famille noble de la région !

— Ah mais…, lui expliqua M. de Voltaire. Jean-François Corneille n'est plus facteur.

— Comment ? fit l'autre, sa main derrière l'oreille.

Allumez donc, je suis sourd ! J'aime voir quand on me parle, morbleu !

— M. Corneille gère un entrepôt de tabac en Normandie ! cria mon tuteur pour se faire entendre. C'est un notable, à présent.

— Quand bien même ! s'indigna l'oncle Dupuits, nous sommes issus des Borsat, des Branvaux et des Montornet...

— Vous m'en direz tant !

— Comment ?

— Cela n'a pas empêché votre illustre famille de m'emprunter de l'argent, s'époumona mon tuteur. Vous savez, pour que votre neveu s'achète une compagnie de dragons... parce que vous avez laissé ses affaires courir à leurs pertes, alors que c'était votre devoir de vous en occuper... alors que votre belle-sœur se retrouvait veuve et malade, et votre neveu à la guerre.

Jean-Gaspard Dupuits se mit à tousser. Voltaire sourit et reprit, bien fort, sur un ton jovial :

— Tenez, en plus de la dot, je promets de loger chez moi notre jeune couple et leurs enfants à naître. De plus, je vous décharge volontiers de vos responsabilités, et je m'occuperai de Mlle Dupuits, la jeune sœur de notre dragon, que j'établirai à mes frais.

Le tuteur de Claude ne le fit pas répéter ! Il trouva l'arrangement parfaitement convenable, et il signa.

Le soir, au dîner, M. de Voltaire en profita pour mimer la scène :

— C'est l'histoire d'un aveugle qui dit à un sourd :

« Parle, que je te vois ! » Et l'autre lui répond : « Ne peut-on éclairer que je t'entende ? »

Et il conclut :

— Dieu que c'est dur de marier sa fille !

La fée des Écrivains – et M. de Voltaire – ont fait du bon travail, n'est-ce pas ? J'ai pour ainsi dire gagné à la loterie, je vis dans un château, et j'ai épousé un prince charmant.

Je gage que, comme dans les contes, nous serons heureux et que nous aurons beaucoup d'enfants !

35

Ferney, mars 1765

Deux ans ont passé… Je relis ces pages et je souris. Nous eûmes un mariage un peu triste, ce 13 février 1763, mais Claude et moi, nous nous en moquions : nous étions amoureux, et si heureux ! Il faisait un froid de Sibérie, peu de nos amis se déplacèrent. La neige recouvrait toute la région !

Maman Denis était souffrante. M. de Voltaire, lui, n'y voyait pas, mais cela ne l'empêcha pas de me conduire à l'autel, comme s'il eût été mon père. Il était très ému, presque autant que moi. Après la cérémonie, nous allâmes manger, puis danser.

Le soir, lorsque M. de Voltaire me confia à Claude, à la porte de notre chambre, il lui glissa :

— Prenez-en soin, je l'aime tant. Je donnerai douze

pièces de son oncle Pierre Corneille pour un seul regard de ses beaux yeux noirs…

Claude a bien pris soin de moi. Deux ans après, nous sommes toujours fous amoureux l'un de l'autre. Une fille nous est née, le 29 mai 1764. Nous l'avons appelée Adélaïde. Sa « grand-mère » en est folle, et son « grand-père » l'adore, même s'il eût préféré un petit-fils, dont il aurait fait un grand poète ! Il avait même décidé qu'on le prénommerait Pierre-Corneille !

Notre gentille Agathe est fiancée depuis peu à un riche commerçant, passionné de théâtre. M. de Voltaire l'ignore, mais Agathe, sa servante, est sa plus belle réussite. Il l'a instruite sans le savoir, et l'a transformée en une femme cultivée, digne des Lumières !

La guerre est finie, elle aura duré sept ans. La paix a été signée officiellement trois jours avant notre mariage. Les Anglais nous ont rendu la Martinique et la Guadeloupe, mais ont gardé le Canada. Heureusement que Claude n'avait pas acheté sa fameuse compagnie de dragons, sans quoi il eût été ruiné ! Avec la somme que M. de Voltaire lui a prêtée, il met ses terres en valeur. Il commence à redresser sa situation financière. Je gage que bientôt il n'aura plus de dettes.

J'ai vu mes parents récemment, pour leur présenter Adélaïde. Mon père continue à jeter l'argent par les fenêtres. Il nous en réclame régulièrement car il a, nous affirme-t-il, son rang de notable à tenir. Que dire… Rien. Il est comme cela, et ne changera jamais !

L'an dernier, nous avons marié Marie-Jeanne. Eh

oui ! Le petit pâté plaisait beaucoup. Le prince de Ligne, qui nous rendit visite, la trouva même fort à son goût. Cependant, à quinze ans et demi, Marie-Jeanne préféra épouser un ancien officier de cavalerie. Ils forment le plus gentil couple du monde !

Comme il l'avait promis, M. de Voltaire paya sa dot, tout comme il avait payé la mienne, avec ses *Commentaires* sur Corneille.

Pauvre Corneille... Je n'ai jamais lu aucune de ses pièces !

— Quelle déplorable éducation je vous ai donnée, se plaint régulièrement M. de Voltaire, l'air accablé, lorsque je ris trop fort, ou que je déclame mal mon texte au tripot. J'aurais tant aimé faire de vous une vraie demoiselle des Lumières.

Je ne peux alors m'empêcher de lui dire :

— Peut-être le suis-je devenue malgré tout. Grâce à vous.

Et je ris de plus belle ! Alors, lui me répond :

— Quelle importance, Cornélie-Chiffon ! Je vous aime telle que vous êtes.

Mais je m'égare... J'ai repris la plume, car ce matin est arrivée une grande nouvelle : le second procès Calas vient de se terminer.

Le conseil du roi avait demandé à voir les pièces originales du dossier. Nous payâmes pour les obtenir, grâce à l'argent que de généreux donateurs nous avaient envoyé de l'Europe entière. La suite fut inévitable : Louis XV ordonna que l'on rejugeât les Calas, cette fois à Paris.

C'est fait. Le pauvre Jean Calas est déclaré innocent, ainsi que toute sa famille, à l'unanimité. Pour sa femme et ses enfants, c'est une immense consolation d'avoir retrouvé leur honneur.

Tout le travail de fourmis que nous avions produit, tous ces rapports, enquêtes, et dépositions que nous avions réunis pendant des mois au fin fond de notre montagne perdue, avaient porté leurs fruits.

Mme Calas, paraît-il, était d'une grande dignité. Elle et ses filles doivent être reçues par la reine dans les prochains jours. Après quoi, je pense qu'elles rentreront chez elles, à Toulouse. Pourront-elles revivre normalement après tant d'épreuves ? J'en doute.

Mais, réjouissons-nous ! Aujourd'hui est jour de fête ! Pour la première fois en France, un homme injustement condamné a été réhabilité. Tout cela grâce à l'action de M. de Voltaire, à son obstination, et à celle de ses amis, dont j'ai le grand honneur de faire partie.

Je me le répète sans cesse... Et si, ce jour de mars 1762, je n'avais pas suivi M. Audibert, si je ne l'avais pas écouté, si je n'avais pas plaidé sa cause auprès de mon tuteur...

M. de Voltaire était déjà connu comme un grand philosophe et un grand poète. À présent, il a gagné des surnoms populaires : « l'homme aux Calas », ou « le défenseur des opprimés ».

— J'ai fait un peu de bien, répond-il modestement, c'est mon meilleur ouvrage.

Il a écrit un texte magnifique, son *Traité sur la Tolérance*, imprimé sous un faux nom et interdit sur le territoire de France. On se le passe sous le manteau et, bien sûr, tout le monde sait qui en est l'auteur ! Il y retrace l'affaire Calas, et il supplie les hommes de faire preuve de tolérance.

Je vous en livre quelques lignes, c'est une sorte de prière à Dieu, celui que vous voulez :

Dieu de tous les êtres, tu ne nous as point donné un cœur pour nous haïr, et des mains pour nous égorger ! Puissent tous les hommes se souvenir qu'ils sont frères ! Qu'ils aient en horreur la tyrannie exercée sur les âmes !

Je fus la première à le lire, lorsqu'il l'écrivit voilà deux ans. Tel un prophète, il me souffla en me tapotant la main :

— Je ne mangerai pas des fruits de l'arbre de la Tolérance que j'ai planté, je suis trop vieux. Mais vous, vous en mangerez un jour, soyez-en sûre. Un jour, tous les hommes seront sages…

Puisse t il avoir raison !

CE ROMAN
VOUS A PLU ?

Donnez votre avis
et retrouvez la communauté
jeunes adultes sur le site

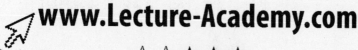

www.Lecture-Academy.com

Le Livre de Poche s'engage pour l'environnement en réduisant l'empreinte carbone de ses livres. Celle de cet exemplaire est de : 300 g éq. CO_2 Rendez-vous sur www.livredepoche-durable.fr

« Pour l'éditeur, le principe est d'utiliser des papiers composés de fibres naturelles, renouvelables, recyclables et fabriquées à partir de bois issus de forêts qui adoptent un système d'aménagement durable. En outre, l'éditeur attend de ses fournisseurs de papier qu'ils s'inscrivent dans une démarche de certification environnementale reconnue. »

Édité par la Librairie Générale Française - LPJ
(58 rue Jean Bleuzen, 92170 Vanves)

Composition PCA
Achevé d'imprimer en Espagne par Liberdúplex
Dépôt légal 1re publication novembre 2014
15.1113.3/04 - ISBN : 978-2-01-397146-1
Loi n° 49-956 du 16 juillet 1949 sur les publications destinées à la jeunesse
Dépôt légal : octobre 2019